ENGLISH G
Grammatik

Cornelsen Verlag

Diese Grammatik wurde verfaßt von

StD Erich Fleischhack, Ebern/Unterfranken
Prof. Hellmut Schwarz, Mannheim
Prof. Franz Vettel, Heppenheim
und der Verlagsredaktion:
Martin Rosenthal (Redaktionsleitung) in Zusammenarbeit mit
Dr. Annelore Naumann-Schütze
sowie Michael Ferguson und Marie Keenoy

1. Auflage – 13. Druck 1987
Bestellnummer 3728

© 1981 Cornelsen Verlag GmbH & Co., Berlin

Das Werk und seine Teile sind urheberrechtlich geschützt.
Jede Verwertung in anderen als den gesetzlich zugelassenen Fällen
bedarf deshalb der vorherigen schriftlichen Einwilligung des Verlages.

Druck: Cornelsen Druck, Berlin

ISBN 3-464-00372-8

Vertrieb: Cornelsen Verlagsgesellschaft, Bielefeld

Inhaltsverzeichnis

Das Nomen

Arten der Nomina   7
Das Geschlecht der Nomina   7
Der Plural der Nomina   9
Zählbare und nicht-zählbare Begriffe   12
„Paarwörter"   13
Die Übereinstimmung von Nomen, Verb und Bestimmungswort im Numerus   13
Der s-Genitiv und die of-Fügung   15

Der Artikel

Der bestimmte Artikel   17
Der unbestimmte Artikel   20

Das Adjektiv

Der Gebrauch des Adjektivs   22
Nominal gebrauchte Adjektive   22
Das Stützwort "one"   23
Die Steigerung der Adjektive   23
Der Vergleich im Satz   25
Das adjektivisch gebrauchte Possessivpronomen   26

Das Adverb

Die unterschiedliche Verwendung von Adjektiv und Adverb   27
Die Bildung der Adverbien   27
Adverbien mit der Form von Adjektiven   28
Adverbien mit zwei Formen   29
Adverbien oder Adjektive nach bestimmten Verben   29
Die Steigerung der Adverbien   30
Der Vergleich im Satz   31
Arten der Adverbien   31
Die Stellung der Adverbien und Adverbialbestimmungen   32
Englische Verben anstelle deutscher Adverbien   34

Mengenbezeichnungen

"Some", "any" und ihre Zusammensetzungen   35
Every, each, any, all   36
Die Übereinstimmung von "somebody" usw. mit den darauf folgenden Pronomen   36
A lot of, many/much, a few/a little   37
No, nobody usw., none   37
Both, either, neither   38

Das Pronomen

Das Personalpronomen   39
Das nominal gebrauchte Possessivpronomen   40
Das Reflexivpronomen   40
Each other, one another   41
Das verstärkende Pronomen   41
Das Demonstrativpronomen   42

Fragewörter

Who, what   43
What / Which   43
When, where, why, how, how many, how much, how long   44

Wortstellung

Aussagesatz   45
Verneinter Satz   45
Fragesatz   45
Die Stellung des indirekten und direkten Objekts   46
Inversion   47

Das Verb

"Be", "do", "have" als Hilfsverben   48
Modale Hilfsverben   50
    Can 51 · Could 51 · May 52 · Might 52 · Will 53 · Would 53 · Shall 54 · Should/Ought to 54 · Must 55 · Mustn't 55 · Needn't 55
Sprechabsichten, die durch modale Hilfsverben und bedeutungsverwandte Verben ausgedrückt werden   56
    Fähigkeit oder Unfähigkeit 56 · Zwang oder Notwendigkeit 57 · Verpflichtungen, Anweisungen oder Befehle 58 · Erlaubnis 60 · Verbot 61 · Bitte 62 · Angebot oder Einladung 63 · Vorschlag 63 · Ratschlag 64 · Möglichkeit 64 · Wahrscheinlichkeit 65
Frageanhängsel   66
Kurzformen   67

Das Vollverb   68
    Formen und Tempora 68 · Der Imperativ 68 · Die 3. Person Singular des simple present 69 · Die -ing form 69 · Regelmäßige und unregelmäßige Verben 70 · Das simple past und Partizip Perfekt der regelmäßigen Verben 70
Die simple form und die progressive form 71 · Die Verwendung der simple form und der progressive form bei verschiedenen Verbgruppen 72
Zeit und Tempus   74
Die simple form und die progressive form in verschiedenen Tempora   74
    Simple present 74 · Present progressive 77 · Present perfect 78 · Present perfect progressive 80 · Simple past 82 · Past progressive 83 · Past perfect 84 · Past perfect progressive 85 · Used to + Infinitiv 85 · Present perfect und simple past im Kontrast 86 · Simple past, present perfect, present perfect progressive im Kontrast 87 · "Since" und "for" im Kontrast 87

Möglichkeiten, ein künftiges Geschehen auszudrücken   88
  Going to-future 89 · Will-future 90 · Simple present 91 · Present progressive 91 · Future progressive 91 · Future perfect 92 · Weitere Sprachmittel, mit denen ein künftiges Geschehen ausgedrückt werden kann 93
"Be", "do", "have" als Vollverben   94
Feste Verb-Adverb-Verbindungen   96
Feste Verb-Adverb-Verbindungen und präpositionale Verben   97

Das Passiv   98
  Aktiv und Passiv   98
  Die Formen des Passivs   98
  Passivsätze mit "by"   99
  Das Passiv mit verschiedenen Arten von Verben   99
  Das Gerundium im Passiv   101
  Der Infinitiv des Passivs   101

Infinite Verbformen   102
Der Infinitiv   102
  Der Infinitiv mit "to"   103
    "to" anstelle von "to" + Verb   106
  Der Infinitiv ohne "to"   106
Die -ing form   107
Das Gerundium   107
Das Partizip   113
  Das Partizip Präsens   114
  Das Partizip Perfekt   115
  Partizipien anstelle adverbialer Gliedsätze   117
  Partizipialfügungen, die durch Konjunktionen eingeleitet werden   118
  Partizipialfügungen mit eigenem Subjekt   119
  Einige idiomatische Wendungen mit Partizipien   119

Indirekte Rede

Direkte und indirekte Rede   120
Veränderungen der Pronomen   120
Die Verschiebung der Tempora in der indirekten Rede   121
Keine Verschiebung der Tempora in der indirekten Rede   122
Modale Hilfsverben in der indirekten Rede   123
Befehle, Einladungen, Bitten, Ratschläge, Vorschläge in der indirekten Rede   124
Veränderungen der Adverbialbestimmungen des Ortes und der Zeit   126

Gliedsätze

If-Sätze   127
Relativsätze   129
  Bestimmende/Einschränkende Relativsätze   130
  Übersicht über die Relativpronomen im bestimmenden Relativsatz   132
  Nicht-bestimmende/Nicht-einschränkende Relativsätze   132
  Übersicht über die Relativpronomen im nicht-bestimmenden Relativsatz   133
Adverbialsätze   133
"So"/"not" anstelle eines Gliedsatzes   134

Präpositionen 135

Wortbildung 140

Möglichkeiten, etwas hervorzuheben 143

Englische Entsprechungen für "lassen; müssen; sollen; wollen/mögen, daß ..." 145

Verzeichnis grammatikalischer Begriffe 149

Unregelmäßige Verben 152

Register 154

Erläuterung der Symbole

▷ verweist auf Abschnitte, die weitere Informationen zu dem behandelten Thema enthalten.

▲ macht auf Sachverhalte aufmerksam, die besonders zu beachten sind.

📖 weist darauf hin, daß sich weitere Beispiele in Wörterbüchern finden.

✻ bezeichnet Abschnitte, in denen grammatikalische Erscheinungen behandelt werden, die man nur zu verstehen, aber nicht selbst zu verwenden braucht.

☐ bezeichnet Abschnitte, in denen es um grammatikalische Erscheinungen geht, die in der Regel erst auf der gymnasialen Oberstufe/Sekundarstufe II behandelt werden.

▦ bezeichnet Abschnitte, in denen es um grammatikalische Erscheinungen geht, die man nur zu verstehen, aber nicht selbst zu verwenden braucht. Sie werden in der Regel erst auf der gymnasialen Oberstufe/Sekundarstufe II behandelt.

In dieser Grammatik wird zwischen „Umgangssprache" und „formellem Englisch" unterschieden:
Unter „Umgangssprache" wird das Englisch verstanden, das im Alltag gesprochen oder geschrieben wird, z. B. in Privatbriefen.
Unter „formellem Englisch" wird die Sprachform verstanden, die bei offiziellen Anlässen, etwa in Reden, Geschäftsbriefen, Berichten, Abhandlungen usw. üblich ist.

Das Nomen (The noun)

1 Arten der Nomina (Kinds of nouns)

a) Eigennamen (Proper nouns)

Cathy, **Parker**, **Britain**, **New York**, **Monday**
sind Eigennamen. Mit ihnen werden **bestimmte einzelne Personen, Länder, Orte, Tage** usw. bezeichnet. Eigennamen werden im Englischen groß geschrieben.

b) Gattungsnamen (Common nouns)

man, **girl**, **bird**, **tree**, **window**
sind Gattungsnamen. Mit ihnen werden **ein oder mehrere Exemplare einer Gattung** (Personen, Tiere, Pflanzen, Dinge) bezeichnet.

c) Sammelnamen (Collective nouns)

army, **class**, **crew**, **family**, **police**
sind Sammelnamen. Mit ihnen wird die **Gesamtheit einer Gruppe** bezeichnet.

d) Stoffnamen (Material nouns)

coffee, **lemonade**, **snow**, **sugar**, **water**
sind Stoffnamen. Mit ihnen werden **Stoffe** bezeichnet.

e) Abstrakta (Abstract nouns)

achievement, **influence**, **life**, **opinion**, **principle**
sind Abstrakta. Mit ihnen werden **Begriffe** bezeichnet.

2
1. **The** mayor arrived in **a** new Jaguar.
2. Tim said it was **his** pocket calculator he had found in **my** satchel.
3. **Each** student wrote down **a few** sentences about the report.
4. **This** Indian tribe wouldn't do what **those** whites wanted it to do.
5. The **fans'** behaviour was one of the **team's** biggest problems.

Nomina können durch Bestimmungswörter (*determiners*), die ihnen vorangehen, genauer bestimmt werden. Zu den gebräuchlichsten Bestimmungswörtern gehören der bestimmte und unbestimmte Artikel (Beispiel 1), die Possessivpronomen (Beispiel 2), die Mengenbezeichnungen (Beispiel 3), die Demonstrativpronomen (Beispiel 4) und Nomina im s-Genitiv (Beispiel 5).

Das Geschlecht der Nomina (The gender of nouns)

3
the **boy**	⟶	**he**, **his**	= male (Maskulinum)
the **girl**	⟶	**she**, **her**	= female (Femininum)
the **table**	⟶	**it**, **its**	= neuter (Neutrum)

Im Deutschen ist das Geschlecht der Nomina vor allem an den unterschiedlichen Artikeln zu erkennen (man spricht hier vom „grammatischen" Geschlecht). Im Englischen dagegen gibt es – bis auf wenige Ausnahmen – nur die Unterscheidung nach dem „natürlichen" Geschlecht, das sich in den Personal- und Possessivpronomen ausdrückt.

4 Where's your **friend**? – **He**'s upstairs. I've asked **him** to fetch **his** slides.
Jim's **cousin** now lives in Germany. **She** was offered a position in Munich. **Her** boss helped **her** to get the job.

Viele Gattungsnamen können im Englischen männliche und weibliche Personen bezeichnen. Dazu gehören etwa *assistant, author, clerk, cook, doctor, driver, foreigner, neighbour, pupil, reader, secretary, singer, speaker, stranger, student, teacher, viewer.*

5

Maskulinum	Femininum
a) host	host**ess**
manager	manager**ess**
actor	actr**ess**
waiter	waitr**ess**
b) **boy**-friend	**girl**-friend
doctor	**woman** doctor
student	**female** student
male nurse	nurse
c) **husband**	**wife**
gentleman	**lady**
bull	**cow**

📖 Obwohl im Englischen viele Gattungsnamen **männliche und weibliche** Personen oder Tiere bezeichnen, gibt es einige Möglichkeiten, durch das Nomen auszudrücken, ob eine Person oder ein Tier Maskulinum oder Femininum ist. Dazu gehören
- die Nachsilbe *-ess* für das Femininum (Beispiele a),
- ein zusätzliches Wort zur Bezeichnung des Geschlechts, etwa *boy, girl, woman, female, male* (Beispiele b),
- verschiedene Wörter für Maskulinum und Femininum bei Personen und Tieren (Beispiele c).

6 a) Kathy has got a new **dog**. Is **it** a "he" or a "she"?
– **His** name is "Rex". **He**'s a present from her grandparents.

Tiere werden als Neutrum betrachtet, wenn ihr Geschlecht unbekannt oder unwichtig ist. Ein Tier, dessen Name (und damit auch das Geschlecht) bekannt ist, wird als Maskulinum oder Femininum betrachtet.

✱ b) The **boat** and **her** crew fought against the huge waves.
Have you seen my new **car** yet? **She** looks fantastic, doesn't **she**?

Schiffe und Fahrzeuge können als Femininum betrachtet werden, wenn eine besondere Vertrautheit oder Zuneigung ausgedrückt werden soll.

✱ c) **Britain** built up **her** Empire over several centuries.
New York is proud of **her** cultural varieties and **she** always has been.

Auch Länder- und Städtenamen können als Femininum betrachtet werden.

Das Nomen

7 Der Plural der Nomina (The plural of nouns)

Singular	Plural
dog	dogs
map	maps
boy	boys
photo	photos
radio	radios
box	boxes
bush	bushes

Der Plural der Nomina wird durch Anfügen von *-s* an die Singularform gebildet. Nach einem Zischlaut ist die Pluralendung *-es* (vgl. auch 9).

8 Schreibung (Spelling)

a)

Singular	Plural
body	bodies
country	countries
family	families

Singular	Plural
day	days
toy	toys
guy	guys

Endet das Nomen im Singular auf Konsonant + *y*, so lautet der Plural Konsonant + *-ies*.
Endet das Nomen im Singular auf Vokal + *y*, so wird im Plural nur *-s* angefügt.

b)

Singular	Plural
half	halves
leaf	leaves
loaf	loaves
shelf	shelves
thief	thieves

Singular	Plural
knife	knives
life	lives
wife	wives

Nomina auf *-f* oder *-fe* bilden den Plural meist auf *-ves*.

Daneben gibt es einige, die im Plural *-fs* haben, z.B.

Singular	Plural
belief	beliefs
chief	chiefs
proof	proofs
roof	roofs

c)

Singular	Plural
hero	heroes
Negro	Negroes
potato	potatoes

Singular	Plural
radio	radios
studio	studios
kilo	kilos
photo	photos
pro	pros

Nomina, die im Singular auf *-o* enden, bilden den Plural entweder auf *-es* oder auf *-s*.

9 Aussprache (Pronunciation)

[z]	[s]	[ɪz]
dogs	maps	noses
cranes	tickets	places
shelves	marks	dishes
cities	chiefs	wages
boys	months	matches

Man spricht [z] nach **stimmhaften Konsonanten** (*voiced sounds*): [b], [d], [g], [l], [m], [n], [ŋ], [v], sowie nach **Vokalen** und **Diphthongen**;
[s] nach **stimmlosen Konsonanten** (*unvoiced sounds*): [p], [t], [k], [f], [θ];
[ɪz] nach **Zischlauten**: [z], [s], [ʃ], [dʒ], [tʃ]

▲ house [s] – houses [zɪz]

10 Unregelmäßige Pluralformen (Irregular plurals)

a)
Singular	Plural
child	child**ren**
m**a**n	m**e**n
wom**a**n	wom**e**n
f**oo**t	f**ee**t
t**oo**th	t**ee**th
g**oo**se	g**ee**se
m**ou**se	m**i**ce
penn**y**	pen**ce** = Geldbetrag
	penn**ies** = Geldstücke

Eine Reihe von Nomina bildet ihren Plural unregelmäßig, also nicht auf *-s* oder *-es*.

▷ Singular und Plural der Völkernamen: 11

b)
Singular	Plural
1. **fish**	**fish**
sheep	**sheep**
2. air**craft**	air**craft**
hover**craft**	hover**craft**
3. Chin**ese**	Chin**ese**
Swi**ss**	Swi**ss**

Eine Reihe von Nomina besitzt im Singular und im Plural die gleiche Form. Dazu gehören einige Tiernamen (Beispiele 1), einige Bezeichnungen für Fahrzeuge (Beispiele 2) und Völkernamen (vgl. 11), die auf *-ese* oder *-ss* enden (Beispiele 3).

▲ **hair** = Haar(e)
hair**s** = einzelne Haare
fruit = Frucht/Früchte, Obst
fruit**s** = Obstsorten; in übertragener Bedeutung: Früchte, Lohn

11 Singular und Plural der Völkernamen (Singular and plural of nationality nouns)

Singular	Plural	Nationalität
a) an American	a few Americans	the Americans
a German	a few Germans	the Germans
a Russian	a few Russians	the Russians
a Dane	a few Danes	the Danes
a Pole	a few Poles	the Poles
an Israeli	a few Israelis	the Israelis
a Pakistani	a few Pakistanis	the Pakistanis
b) an Englishman	several Englishmen	the English
a Frenchman	several Frenchmen	the French
an Irishwoman	several Irishwomen	the Irish
a Scotswoman	several Scotswomen	the Scots
c) a Japanese	many Japanese	the Japanese
a Vietnamese	many Vietnamese	the Vietnamese
a Swiss	many Swiss	the Swiss

📖 Bei einer Reihe von Völkernamen findet sich der regelmäßige englische s-Plural (Beispiele a). Andere dagegen, die aus einer Zusammensetzung mit *-man/-woman* entstanden sind (Beispiele b), bilden ihren Plural unregelmäßig (vgl. auch 10 a). Eine dritte Gruppe von Völkernamen, die auf *-ese* oder *-ss* enden (Beispiele c), besitzen im Singular und Plural die gleiche Form (vgl. 10 b).

Völkernamen werden im Englischen immer groß geschrieben.

12 Der Plural bei Wörtern aus anderen Sprachen (Foreign plurals)

Singular	Plural
a) bacterium	bacteria
codex	codices
crisis	crises
phenomenon	phenomena
b) album	albums
area	areas
chorus	choruses
demon	demons
c) cactus	cacti ['kæktaɪ]/cactuses
radius	radii ['reɪdɪaɪ]/radiuses
criterion	criteria/criterions

📖 Eine Reihe von Wörtern, die aus anderen Sprachen (vor allem dem Lateinischen und dem Griechischen) entlehnt wurden, haben im Englischen ihre ursprüngliche Pluralendung beibehalten (Beispiele a).

Andere dagegen bilden den Plural mit *s* (Beispiele b).

Eine dritte Gruppe schließlich weist entweder ihre ursprüngliche Pluralendung oder den englischen s-Plural auf.

▲ one series – different series

13 Der Plural der zusammengesetzten Nomina (The plural of compound nouns)

a) record shop**s** air traffic controller**s**
sailing-ship**s** son**s**-in-law (Schwiegersöhne)
bathing costume**s**

Zusammengesetzte Nomina, die aus zwei oder mehr Wörtern bestehen, werden als Einheit aufgefaßt. Das Plural-s wird daher meist an das **Grundwort** (*shop, ship* usw.) angefügt.

b) sit-in**s**, teach-in**s**, grown-up**s** (Erwachsene), take-off**s**

Ist kein Nomen als Grundwort vorhanden, so tritt das Plural-s an das **Ende** der Zusammensetzung.

14 Zählbare und nicht-zählbare Begriffe (Countables and uncountables)

Die Nomina (vgl. 1) lassen sich, abgesehen von den Eigennamen, in zwei Gruppen unterteilen:

a) **a boy** – **two boys** **an argument** – **three arguments**
a station – **several stations** **a question** – **many difficult questions**

Diese Nomina kann man zählen, sie werden daher *countables* genannt. Sie können im Singular und im Plural stehen und mit dem unbestimmten Artikel, mit Zahlwörtern und anderen Bestimmungswörtern verbunden werden.

b) **furniture, food; bread, tea, water; evidence, information**

Diese Nomina kann man **nicht** zählen, sie werden daher *uncountables* genannt. Sie dürfen **nicht** im Plural stehen und **nicht** mit dem unbestimmten Artikel oder mit Zahlwörtern verbunden werden (vgl. auch 16a).

c) **a piece of** furniture **two bottles of** water
 ein Möbelstück   zwei Flaschen Wasser

 a packet of food **a bit of** evidence
 ein Paket mit Nahrungsmitteln   ein Beweis(stück)

 three slices of bread **several items of** information
 drei Scheiben Brot   mehrere Auskünfte

 a cup of tea
 eine Tasse Tee

Will man nicht-zählbare Begriffe zählbar machen, muß man Fügungen wie *a piece/packet/slice/cup/bottle/bit/an item of* ... davorsetzen.

In Gaststätten werden die Bezeichnungen für Getränke und Eis häufig als zählbare Begriffe verwendet, z.B.

one coffee = *one cup of coffee*
two teas = *two cups of tea*

Das Nomen

15 „Paarwörter" (Pair nouns)

Bestimmungswort	Nomen	Verb	Bestimmungswort	Nomen	Verb
– The These/Those Some/Any	trousers shorts tights jeans	are …	All/No A lot of/Few Your/My, etc.	glasses scissors pliers	are …

Diese „Paarwörter" bezeichnen Dinge, die aus zwei gleichen Teilen bestehen. Solche Nomina werden daher **nur im Plural** gebraucht und dürfen **nicht** mit dem unbestimmten Artikel oder mit Zahlwörtern verbunden werden. Will man die genaue Anzahl nennen, muß *a pair of…* oder *two/three/… pairs of…* vorangestellt werden.

16 Die Übereinstimmung von Nomen, Verb und Bestimmungswort im Numerus (The concord of nouns)

1. The young **lion has escaped** from **its** cage.
2. The **zoo-keepers are** on **their** way to catch it.

Bei einem Nomen im Singular müssen das ihm zugeordnete Verb und Bestimmungswort im Singular stehen (Beispiel 1). Bei einem Nomen im Plural müssen das ihm zugeordnete Verb und Bestimmungswort im Plural stehen (Beispiel 2).

a) **Nomina, die nur im Singular stehen (Singular nouns)**

Bestimmungswort	Nomen	Verb
Good/Poor	progress Fortschritt, -e	has been made so far.
This/That	news Nachricht, -en	sounds very promising.
Much/Little/Some	damage Schaden, Schäden	was caused by the hurricane.
My/Your/His/Her	knowledge Kenntnis, -se	of physics is only average.
Such	information Information, -en	doesn't usually appear in the newspaper.
What/Which	advice Rat, Ratschläge	seems sensible?
Whose	homework Hausaufgabe, -n	hasn't been given back yet?
No	evidence Beweis, -e	was found by the police.

Anders als im Deutschen gehören im Englischen bestimmte Nomina zu den nichtzählbaren Begriffen. Sie dürfen daher nicht im Plural stehen und nicht den unbestimmten Artikel bei sich haben (vgl. auch 14b). Die ihnen zugeordneten Bestimmungswörter (z.B. *this, that, much* usw.) und Verben müssen im Singular stehen.

▲ Monika has **a** good knowledge of English.
Monika hat gute Englischkenntnisse.

b) **Nomina, die nur im Plural stehen (Plural nouns)**

Bestimmungswort	Nomen	Verb
My	**wages** Lohn	**weren't** very high.
The city's	**outskirts** Außenbezirk, -e	**are preferred** by whites.
These	**stairs** Treppe, -n	**don't lead** to the top of the house.

Es gibt im Englischen Nomina, die nur im Plural stehen, während im Deutschen der Singular oder der Plural gebraucht wird. Zu dieser Gruppe gehören auch *likes* (Vorliebe), *looks* (Aussehen), *manners* (Benehmen), *measles* (Masern), *surroundings* (Umgebung) und *thanks* (Dank).

▲ Obwohl die Eigennamen *The United States of America (U.S.A.)* und *The United Nations (UN)* auf ein Plural-s enden, werden sie meist als Singulare betrachtet.

☐ c) 1. **Physics is** a very popular course at this university.
  2. Jill's **mathematics weren't** very good last term.
  3. Many people still believe that **politics is** only a man's job.
  4. Local **politics are** a bit difficult in this part of the country.

Namen von Wissenschaften, die auf *-ics* enden, werden als **Singular** betrachtet, wenn mit ihnen das **Fach** oder **Gebiet** bezeichnet wird (Beispiele 1 und 3). Sind dagegen **konkrete Einzelfälle** oder **Ergebnisse** gemeint (Beispiele 2 und 4), werden diese Nomina wie ein **Plural** behandelt.

✳ d) **Sammelnamen (Collective nouns)**
  1. When Don entered the jazz club, the **band was playing its** famous song "You".
  2. When Don left, the **band were putting their** instruments away.

Bei Sammelnamen können Verb und Bestimmungswort sowohl im Singular als auch im Plural stehen. Wenn man an die **Gesamtheit einer Gruppe** denkt, etwa an eine Jazzband, die gemeinsam ein Stück spielt, verwendet man den **Singular** (Beispiel 1). Denkt man jedoch an die **einzelnen Mitglieder einer Gruppe**, etwa den Trompeter oder Schlagzeuger einer Jazzband, gebraucht man den **Plural** (Beispiel 2).

Zu den Sammelnamen, die sowohl im Singular als auch im Plural stehen können, gehören *audience, class, company, committee, crew, crowd, family, government, group, majority, management, minority, party, public* und *team*.

▲ 1. The **police were holding their** dogs back, **weren't they**?

  police wird immer als Plural betrachtet.

  2. A few **people were** very upset about Bill's behaviour.
  Einige Leute ...

  The **peoples** of Asia were fighting for their freedom.
  Die Völker Asiens ...

  people in der Bedeutung „Leute" wird immer als Plural betrachtet. Daneben gibt es den s-Plural in der Bedeutung „Völker", zu dem ein Singular *people* in der Bedeutung „Volk" gehört.

Das Nomen

e) **Maß- und Mengenangaben (Measurements and amounts)**

Bestimmungswort	Nomen	Verb
Another	**5 years**	**is needed** to finish the project.
A full	**1 1/4 miles**	**is** the length of Southend pier.
A whole	**3 hours**	**was lost** waiting for the plane.
A good	**2 pounds**	**is** the weight of this tomato.
–	**30 %** of his income	**goes** to the tax department.
This/That	**$ 50**	**is** all the money I've got.

Bei Maß- und Mengenangaben wird die **Fügung aus Zahl und Nomen** in der Regel als **Einheit** betrachtet und wie ein **Singular** behandelt. Daher stehen auch das zugeordnete Bestimmungswort (z. B. *A full* usw.) und das Verb (z. B. *is needed* usw.) im Singular.

Der s-Genitiv und die of-Fügung (The s-genitive and the of-phrase)

17 a) 1. Bob**'s** mother was working in the garden.
2. Carol**'s** car was destroyed by an explosion.
3. The children were frightened by the animals**'** noises.
4. You can buy this smart blouse in the girls**'** department.

Der s-Genitiv wird bei Personen und häufig auch bei Tieren gebraucht. Er drückt eine Zugehörigkeit (Beispiel 1), einen Besitz (Beispiel 2), eine Urheberschaft (Beispiel 3) aus oder gibt an, wofür etwas bestimmt ist (Beispiel 4: *a department for girls*).

▲ Jane and Judy**'s** bedroom = one bedroom for the two girls
Jane**'s** and Judy**'s** bedrooms = each girl has got her own bedroom

b) 1. The wall **of the garden** was knocked down.
2. The computer was designed at the University **of London**.
3. The loss **of her purse** made Anne feel very unhappy.

Die *of*-Fügung wird verwendet, wenn nicht von Personen oder Tieren die Rede ist.

✱ c) **Britain's** economy is no longer dependent on oil from foreign countries.
New York's newspapers published the results of the survey.
The **party's** decision must be discussed.

Der s-Genitiv kann auch bei Staaten, Städten und Institutionen verwendet werden.

18
Singular	Plural
Susan**'s** invitation	the Snyders**'** agreement
Ms Taylor**'s** argument	the women**'s** contribution

Der s-Genitiv wird im Singular durch Anfügen von *'s* an die Singularform eines Nomens gebildet.
Im Plural wird der s-Genitiv durch Anfügen von *'* an die **regelmäßige** Pluralform eines Nomens gebildet. Bei **unregelmäßigen** Pluralformen wird *'s* angefügt.

▲ James's [ˈdʒeɪmzɪz] refusal   the Evans'/Evanses' [ˈevənz]/[ˈevənzɪz] living-room

19 at Alan's   = bei Alan (zu Hause)
at the Porters'   = bei den Porters (zu Hause)
at the chemist's = in der Apotheke
to the doctor's   = zum Arzt

Ist das Bezugswort eine Ortsangabe (z.B. *house*, *flat*, *shop*), so wird es in der Regel weggelassen.

20 I've forgotten my umbrella. Can I take Linda's?
Whose stupid idea is that? – It's my parents'.

Wenn man Wiederholungen vermeiden will, kann das Bezugswort weggelassen werden.

21 Der s-Genitiv bei Zeitangaben (The s-genitive with expressions of time)

1. You need at least **one year's experience** to get ahead in this firm.
2. **Last month's business** was better than Mr Jones had expected.
3. The results of **two years' work** were destroyed by the fire.
4. **Yesterday's information** was misleading.

Werden Nomina als attributive Zeitangaben verwendet, so stehen sie in der Regel im s-Genitiv, und zwar sowohl im Singular (Beispiele 1 und 2) als auch im Plural (Beispiel 3). Dies gilt auch für die temporalen Adverbien *yesterday* (Beispiel 4), *today*, *tonight* und *tomorrow*.

▲ **yesterday's** paper   =   **die** gestrige Zeitung

Der Artikel (The article)

22 the [ðə] family
           hostel
           green apple

      the [ði:] advantage
             enemy
             ugly building

    a [ə] child
           house
           fresh onion

    an [ən] instrument
            opportunity
            empty box

Der bestimmte Artikel (*definite article*) heißt *the*, der unbestimmte Artikel (*indefinite article*) *a* oder *an*.

Beginnt ein Nomen oder ein Adjektiv mit einem **Konsonanten**, so wird der bestimmte Artikel [ðə] ausgesprochen, der unbestimmte Artikel ist *a*.

Beginnt ein Nomen oder ein Adjektiv mit einem **Vokal**, so wird der bestimmte Artikel [ði:] ausgesprochen, der unbestimmte Artikel ist *an*.

Dabei ist die Aussprache des Anlauts, nicht seine Schreibung entscheidend:

a/the university [ə/ðə ju:nɪˈvɜːsətɪ]
a/the uniform [ə/ðə ˈjuːnɪfɔːm]
a/the European [ə/ðə juərəˈpiːən]
an hour [ənˈaʊə]
the hour [ðiːˈaʊə]

▷ Möglichkeiten, etwas hervorzuheben: 253 a

Der bestimmte Artikel (The definite article)

23 Der Gebrauch des bestimmten Artikels (The use of the definite article)

The man over there is David's English teacher.
Roger's cousin lives in **the** house next door.
The occupation of Wounded Knee lasted for several weeks.

Der bestimmte Artikel wird verwendet, wenn eine Person, ein Ding oder ein Begriff **näher bestimmt** und damit aus einer Gruppe gleichartiger hervorgehoben wird.

24 Der bestimmte Artikel bei Abstrakta, Stoff- und Gattungsnamen (The definite article with abstract nouns, material nouns and common nouns)

a) Abstrakta (Abstract nouns)

Life can be difficult sometimes.
Das Leben ...

The life of a film star is often hard.
Das Leben eines Filmstars ...

Heroin is a danger to **society**.
... für die Gesellschaft.

The young Pakistani told the audience about **the society** of his country.
... über die Gesellschaft seines Landes.

b) **Stoffnamen (Material nouns)**

Water is changed into ice by freezing.
(Das) Wasser ...

The water in many big cities is quite polluted.
Das Wasser in vielen Großstädten ...

Bread is rather expensive today.
(Das) Brot ...

The bread we bought yesterday wasn't fresh.
Das Brot, das wir gestern kauften ...

c) **Gattungsnamen im Plural (Plural forms of common nouns)**

Pupils are often bored.
(Die) Schüler ...

The pupils of Lincoln School arranged a meeting.
Die Schüler der Lincoln-Schule ...

Children like animals.
(Die) Kinder ...

The children in our street haven't got an adventure playground.
Die Kinder in unserer Straße ...

Abstrakta (Beispiele a), Stoffnamen (Beispiele b) und Gattungsnamen im Plural (Beispiele c) stehen **ohne** bestimmten Artikel, wenn sie in einem **allgemeinen Sinn** gebraucht werden.

Abstrakta (Beispiele a), Stoffnamen (Beispiele b) und Gattungsnamen im Plural (Beispiele c) werden **mit** dem bestimmten Artikel gebraucht, wenn sie **näher bestimmt** sind, z. B. durch *of*-Fügungen oder Relativsätze.

▲ Parliament = **das** Parlament

25 Der bestimmte Artikel bei Eigennamen (The definite article with proper nouns)

a) **Jane** is an excellent driver.
Oliver had already written to **Mr Miller**.
Have you seen **Uncle George** this morning?
Queen Elizabeth visited Canada some years ago.

Eigennamen, Verwandtschaftsbezeichnungen und Eigennamen mit vorangestellten Titeln werden **ohne** bestimmten Artikel verwendet.

▲ **the** Coopers
the Clarks

Eigennamen im **Plural** werden immer **mit** dem bestimmten Artikel gebraucht.

b) **Little Tom** is very afraid of dogs.
Der kleine Tom ...
Mr Conway wrote a book about the history of **modern Britain**.
... die Geschichte des heutigen Großbritannien.

Anders als im Deutschen werden Eigennamen auch dann **ohne** bestimmten Artikel verwendet, wenn ihnen ein **Adjektiv** vorausgeht.

26 Der bestimmte Artikel bei geographischen Bezeichnungen
(The definite article with geographical names)

Ohne Artikel:	**Mit** Artikel:
England, France, Italy, Poland, Switzerland	the United States, the West Indies, the Netherlands
Oxford Street, Manhattan, Regent's Park, Tower Bridge	the High Street, the Bronx, the City, the Golden Gate Bridge
Buckingham Palace, Lincoln Center, Heathrow Airport	the British Museum, the World Trade Center, the White House
Mount Everest, Loch Lomond	the Rocky Mountains, the Gulf of Mexico

Bei geographischen Bezeichnungen ist die Verwendung des bestimmten Artikels **unterschiedlich**.

27 Der bestimmte Artikel bei "church", "hospital", "school" usw.
(The definite article with "church", "hospital", "school", etc.)

Some people only go to **church** at Christmas and Easter.	There's a folk concert in **the church** next week.
Helen spent two weeks in **hospital** after her operation.	Kathy spent half an hour in **the hospital** visiting Helen.
English pupils don't go to **school** on Saturdays.	The carpenter went to **the school** to repair some equipment.
The smuggler was sent to **prison** for two years.	Milk is delivered to **the prison** every morning.
Ohne bestimmten Artikel stehen die Nomina *church*, *college*, *hospital*, *prison*, *school*, *university* usw., wenn nicht an das Gebäude, sondern an den **Zweck des Gebäudes** gedacht wird.	**Mit** bestimmtem Artikel werden diese Nomina verwendet, wenn **nur an das Gebäude** und nicht an seinen Zweck gedacht wird.

28 Der bestimmte Artikel bei Zeitangaben
(The definite article with phrases of time)

Ohne Artikel:	**Mit** Artikel:
on Sunday, on Friday afternoon, next Monday	on the Sunday before the strike
at night, at noon, by day, by night, during breakfast	during the afternoon, in the morning, in the evening, in the night, throughout the day
at Christmas, at Easter, in July	
December isn't cold here.	The December of 1975 was very cold.

29 Der bestimmte Artikel nach "all", "both", "half", "double", "twice"
(The definite article after "all", "both", "half", "double", "twice")

all **the** time
die ganze Zeit

both (**the**) books
beide Bücher

half **the** people
die Hälfte der Leute

double **the** size
die doppelte Größe

twice **the** sum
die doppelte Summe

Der bestimmte Artikel steht hinter *all*, *both*, *half*, *double* und *twice*.

▷ *all boys/all the boys:* 60 b; *both:* 64 a

30 Der bestimmte Artikel bei "most" (The definite article with "most")

a) Which of you has made (**the**) **most** mistakes?
          ... die meisten Fehler?

Those who have (**the**) **most** money are not always (the) happiest.

b) **Most** parents try to understand their children's problems.
Ein Großteil der Eltern versucht, ...

Mrs Redman was ill **most** of the summer.
          ... den größeren Teil des Sommers ...

most als Mengenbezeichnung kann mit dem oder ohne den bestimmten Artikel stehen, wenn es superlativische Bedeutung hat (Beispiele a). Ohne Artikel steht es, wenn es „die Mehrheit, der größere Teil" bedeutet (Beispiele b).

▲ **most of** the boys in Fiona's class
die meisten Jungen in Fionas Klasse

most of my friends
die meisten meiner Freunde

most of the time
die meiste Zeit

Vor *most of* steht kein Artikel.

Der unbestimmte Artikel (The indefinite article)

Der Gebrauch des unbestimmten Artikels
(The use of the indefinite article)

31 a) Fred saw **a** man on top of the cliff.
This is **a** tree, these are bushes.
An advertisement appeared in the local paper.

Der unbestimmte Artikel *a/an* wird **nur** bei der Singularform von **zählbaren Begriffen** verwendet. Er bezeichnet eine einzelne, nicht näher bestimmte Person, eine Sache oder einen Begriff.

b) Could I have **a** glass of water, please?

Der unbestimmte Artikel bedeutet auch *one* und findet sich bei Zahlen (z. B. *a million*) oder in bestimmten präpositionalen Wendungen, z. B. *in a minute, in a week or two*.

▲   **a** hundred, **a** thousand = hundert, tausend

Der Artikel

□ 32 Kathy wants to become **a doctor**.   Our headmaster is **a Catholic**.
One of Carl's friends is **an Englishman**.   The new mayor is **a Liberal**.

Will man die Zugehörigkeit zu einem **Beruf**, einer **Nationalität**, **Konfession**, **Partei** usw. bezeichnen, so **muß** der unbestimmte Artikel verwendet werden.

33 The firm sells fifty TV sets **a month**.
My car does 95 miles **an hour**.
The price of this green cloth has been reduced by 50p **a metre**.
How much are the peaches? – They're 72 pence **a pound**.

Bei nachgestellten **Zeit-**, **Maß-** und **Mengenangaben** wird der unbestimmte Artikel verwendet (*a/an = per*).

34 Der unbestimmte Artikel nach "half", "quite", "rather", "such" und "what"
(The indefinite article after "half", "quite", "rather", "such" and "what")

a) half **a** bottle of milk   rather **a** nice girl (a rather nice girl)
    quite **an** interesting film   such **an** old story

Der unbestimmte Artikel steht nach *half*, *quite*, *such* und häufig nach *rather*.

b) 1. What **a** lovely day!   2. What nonsense!
      Was für ein schöner Tag!   Was für ein Unsinn!
      What **a** big dog!   What awful weather!

Der unbestimmte Artikel steht nach *what* in Ausrufen **nur vor zählbaren Begriffen** (Beispiele 1), nicht aber vor nicht-zählbaren Begriffen (Beispiele 2).

▲ What **a** pity!   =   Wie schade!
   What **a** mess! =   Was für ein Durcheinander!

35 Redewendungen mit dem unbestimmten Artikel
(Phrases with the indefinite article)

be in **a** hurry   take **an** interest in   for **a** long time
in Eile sein   Interesse haben an   lange Zeit

be in **a** position to do something   for **a** time
in der Lage sein, etwas zu tun   eine Zeitlang

come to **an** end   in **a** friendly way
zu Ende gehen   auf freundliche Art

have **a** headache/**a** temperature   as **a** result of (the strike)   in **a** loud voice
Kopfschmerzen/Fieber haben   infolge des (Streiks)   mit lauter Stimme

make **a** noise   as **a** rule   to **a** high degree
Lärm machen   in der Regel   im hohen Grade

take **a** seat   for **a** change   without **a** break
sich setzen   zur Abwechslung   ohne Unterbrechung

Das Adjektiv (The adjective)

Der Gebrauch des Adjektivs (The use of the adjective)

36 a) 1. a **new** bike
      a **difficult** exercise
     2. Peter's bike is **new**.
      Our homework wasn't **difficult**.

Das Adjektiv dient zur Bezeichnung von **Eigenschaften** oder **Merkmalen** des **Nomens**. Wenn das Adjektiv vor einem Nomen steht, spricht man von **attributivem** Gebrauch (Beispiele 1), wenn es Teil des Prädikats ist, von **prädikativem** Gebrauch (Beispiele 2).

▷ *feel, smell, taste* usw. + Adjektiv: 51

b) Peter's mother **is ill**. (prädikativ)
The **sick man** was taken to hospital. (attributiv)
The children **were afraid** of the dark. (prädikativ)
The **frightened boy** ran to his mother. (attributiv)
The fish **were alive** when they were delivered to the shop. (prädikativ)
There are no other **living members** of Eric's family. (attributiv)
Most people **were asleep** when the explosion happened. (prädikativ)
The **sleeping child** was carried by its mother. (attributiv)

Manche Adjektive werden **nur prädikativ** gebraucht. Zur attributiven Verwendung müssen bedeutungsverwandte Wörter herangezogen werden.

Nominal gebrauchte Adjektive (Adjectives used as nouns)

37 a) 1. **The blind** need the help of other people.
    2. Sometimes **the young** don't understand the older generation.
    3. After the accident **the injured** were taken to hospital.
    4. **The rich** of New York met at the mayor's party.

b) 1. **The two blind men** were helped across the street.
    2. **The young boy** gave an old lady his seat on the bus.
    3. **The three injured people** are still in hospital.
    4. **The rich woman** left all her money to an old people's home.

Wird der bestimmte Artikel vorangestellt, kann das Adjektiv als **Nomen** gebraucht werden. Als Sammelname bezeichnet das nominal gebrauchte Adjektiv eine **Gesamtheit von Personen** (Beispiele a 1 und 2) oder eine **Gruppe** (Beispiele a 3 und 4). Solche Adjektive werden pluralisch konstruiert, haben aber kein Plural-s.

Ist an **eine** oder **mehrere Einzelpersonen** gedacht, muß ein Nomen wie *boy(s), girl(s), man/men, woman/women, people* usw. hinzugefügt werden (Beispiele b 1–4).

▲ a (one) white   =   several whites
   ein Weißer   =   mehrere Weiße
   a black   =   several blacks

Einige Adjektive sind zu echten Nomina geworden, z.B. *black, white; individual, native*.

Das Adjektiv

38 1. You must learn to take **the good** with **the bad**.
2. **The stupid thing** about the plan was that David didn't know if Jill was at home.

Singularisch verwendet, hat *the* + Adjektiv eine **allgemeine, abstrakte** Bedeutung (Beispiel 1: „Das Gute", „das Schlechte").

Wenn jedoch etwas **Bestimmtes, Konkretes** bezeichnet werden soll, muß *thing* hinzugefügt werden (Beispiel 2: „Das Dumme an dem Plan war, daß ...").

39 Das Stützwort "one" (The prop-word "one")

a) Tom has got a big dog and a small **one**.
　　　　　　　　　... und einen kleinen.

Bob has got three brothers – one younger **one** and two older **ones**.
　　　　　　　　　... einen jüngeren und zwei ältere.

These apples aren't as good as the **ones** you bought yesterday.
　　　　　　　　　... so gut wie die, die du gestern gekauft hast.

Das Stützwort *one* (Plural: *ones*) wird verwendet, wenn man ein schon genanntes (zählbares) Nomen nicht noch einmal wiederholen will.

b) Look at my photos. **These** are nicer than **those**, and **this one** is better than **that one**.

one wird auch nach *this* und *that* gebraucht. Nach *these* und *those* steht in der Regel kein Stützwort.

40 Die Steigerung der Adjektive (The comparison of adjectives)

a) Einsilbige Adjektive (Adjectives with one syllable)

　clean　　clean**er**　　(the) clean**est**

b) Zweisilbige Adjektive, die auf "y" enden (Adjectives with two syllables and "y" at the end)

　thirsty　　thirst**ier**　　(the) thirst**iest**

c) Andere zwei- oder mehrsilbige Adjektive (Other adjectives with two or more syllables)

　useful　　**more** useful　　(the) **most** useful
　radical　　**more** radical　　(the) **most** radical

Im Englischen gibt es zwei Arten der Steigerung: mit *-er/-est* und mit *more/(the)most*.

Mit *-er/-est* werden alle **einsilbigen** Adjektive und die **zweisilbigen,** die auf **-y enden,** gesteigert (Beispiele a und b).

Die meisten **anderen zweisilbigen** Adjektive sowie die Adjektive mit **mehr als zwei Silben** bilden ihre Steigerungsformen mit *more/(the) most* (Beispiele c).

41 Schreibung (Spelling)

ho**t**	hot**ter**	(the) hot**test**
pur**e**	pur**er**	(the) pur**est**
happ**y**	happ**ier**	(the) happ**iest**

Endet ein einsilbiges Adjektiv auf einen Konsonanten, wird dieser verdoppelt, wenn der vorangehende Vokal kurz ist: *hotter*, *(the) hottest*.

Endet ein einsilbiges Adjektiv auf stummes -e, fällt dieses weg: *purer*, *(the) purest*.

Endet ein zweisilbiges Adjektiv auf -y, wird das *y* zu *i*: *happier*, *(the) happiest*.

42 Andere Formen der Steigerung (Other forms of comparison)

a)

good	**better**	(the) **best**
bad	**worse**	(the) **worst**
much / a lot of / some / many	**more**	(the) **most**
a lot of / some / a little / a few	**less**	(the) **least**
far	**farther/further**	(the) **farthest/(furthest)**
–	**further**	–
near	**nearer**	(the) **nearest**
–	–	(the) **next**
late	**later**	(the) **latest**
–	–	(the) **last**
–	(the) **latter**	–
old	**older** / **elder**	(the) **oldest** / (the) **eldest**

b) It's **farther/further** from Piccadilly Circus to Gatwick than to Heathrow.
Do you need any **further** information or is the plan clear?

farther/further (= „weiter") werden für **räumliche Entfernungen** verwendet. Als Superlativ hierzu wird *(the) farthest* bevorzugt. „Weiter" im **übertragenen Sinne** (= „zusätzlich") kann nur durch *further* wiedergegeben werden.

I'm thirsty. Where's the **nearest** pub?
The **next** train to Cardiff leaves at 9.15.

Mit *nearest* wird das **räumlich** am nächsten Liegende, mit *next* das Nächste in einer **Reihenfolge** bezeichnet.

Writer Bill Edwards says his **latest** book will be his **last** one.
Have you ever visited Glasgow or Edinburgh? – Oh, yes! The **latter** is my home town.

Mit *latest* (= „letzte, neueste, jüngste") wird ein **zeitliches Verhältnis** ausgedrückt (Gegensatz: *earliest*), mit *last* (= „letzte") eine **Reihenfolge** (Gegensatz: *first*). *the latter* (Gegensatz: *the former*) hat die Bedeutung „der letztere".

Tom's **eldest** sister is married to a man ten years **older** than her.

elder, (the) eldest werden vorwiegend mit Bezug auf **Familienangehörige** verwendet und nur attributiv gebraucht. Bei Vergleichen mit *than* darf nur *older* stehen.

43 Der Vergleich im Satz (Sentences with comparisons)

a) Carol is **as tall as** Linda.
She isn**'t as tall as** Kathy.
She's **taller than** Janet.

b) I'm not / Bill isn't / Bob and Dave aren't   very tall. Mike is taller than   **me**. / **him**. / **them**.

In der Umgangssprache wird bei Vergleichen häufig die Objektform des Personalpronomens verwendet.

c) Charles was as nervous as **me**/**I was**.
The driver is faster than **him**/than **he is**.

Bei Vergleichen kann man auch die Subjektform des Personalpronomens + Verb gebrauchen.

d) There were **less** people in the queue **than Tom thought** (**there would be**).
It's **better** to complain to the manager **than to argue with the assistant**.

Vergleiche können auch durch Gliedsätze *(than Tom thought ...)* oder durch Infinitivfügungen *(than to argue with the assistant)* ausgedrückt werden.

e) **The more** the teacher shouted, **the louder** the class became.
The farther Sally walked, **the more tired** she felt.

Das deutsche „je ..., desto ..." wird im Englischen mit *the* + Komparativ, *the* + Komparativ wiedergegeben. Die Wortstellung ist die des normalen Aussagesatzes: Subjekt *(the class)* – Verb *(became)*.

f) Your pronunciation is getting **better and better**.
People seem to be **more and more interested** in pollution problems these days.

Wenn zwei Komparative durch *and* verbunden werden, wird damit eine allmähliche Steigerung ausgedrückt: „immer besser", „immer interessierter".

44 Das adjektivisch gebrauchte Possessivpronomen (The possessive adjective)

a) I like **my** name.
your
his
her
its
our
your
their

▷ Nominal gebrauchtes Possessivpronomen: 67

b) Sally hurt **her arm** playing tennis.
Sally verletzte sich den Arm ...
Howard's hands became warmer and warmer in **his** gloves.
... in den Handschuhen immer wärmer.
The soldiers painted **their faces** black.
... färbten sich das Gesicht schwarz.
We didn't know **our lives** were in danger.
... daß unser Leben in Gefahr war.
Mary nearly went out of **her mind** with shock.
... verlor beinahe den Verstand vor Schreck.
The news of **their deaths** was broadcast immediately.
Die Nachricht von ihrem Tod ...

Im Gegensatz zum Deutschen kann im Englischen bei **Körperteilen**, **Kleidungsstücken** und einigen anderen Nomina, etwa *life*, *mind*, *death* usw., nicht der bestimmte Artikel stehen, sondern es muß das adjektivisch gebrauchte Possessivpronomen verwendet werden. Die Nomina stehen gewöhnlich im Plural, wenn sie sich auf mehrere Personen beziehen.

45 of my/your/his/ ... own

1. I've got **my own** room.
2. Have you got **a** room **of your own**?
   ... ein eigenes Zimmer?
3. He has got **no** room **of his own**.
   ... kein eigenes Zimmer.
4. She had **two** rooms **of her own**.
   ... zwei eigene Zimmer.

own darf nur zusammen mit einem adjektivisch gebrauchten Possessivpronomen verwendet werden (Beispiel 1). In Verbindung mit dem unbestimmten Artikel, *no*, Zahlwörtern und anderen Bestimmungswörtern muß das adjektivisch gebrauchte Possessivpronomen + *own* in der nachgestellten *of*-Fügung verwendet werden (Beispiele 2–4).

Das Adverb (The adverb)

46 Die unterschiedliche Verwendung von Adjektiv und Adverb (Adjectives and adverbs in contrast)

Adjektiv

Miss Jones is a **careful** driver.

Why are you **nervous** before a test?

Adverb

1. Miss Jones drives **carefully** on busy roads, especially at night.

2. You're **extremely** nervous before a test, aren't you?

3. The new actress played **fairly** well.

4. **Unfortunately**, Sarah will have to leave tomorrow.

Das **Adjektiv** beschreibt ein **Nomen** oder ein **Pronomen**. Durch ein **Adverb** werden **Verben** (Beispiel 1), **Adjektive** (Beispiel 2), andere **Adverbien** (Beispiel 3) oder ein **ganzer Satz** (Beispiel 4) näher bestimmt.

47
1. **always, sometimes**
2. **fast, hard**
3. **next Sunday, in London**
4. **quickly, pleasantly**

Es gibt **ursprüngliche** Adverbien (Beispiele 1), Adverbien, die die **gleiche Form wie Adjektive** haben (Beispiele 2), **Adverbialbestimmungen** (Beispiele 3) und von **Adjektiven abgeleitete Adverbien** (Beispiele 4). Sie werden durch Anfügen von *-ly* an das Adjektiv gebildet.

48 Die Bildung der Adverbien (The formation of adverbs)

Bei der Bildung der von Adjektiven abgeleiteten Adverbien müssen verschiedene Besonderheiten beachtet werden:

a) Adjektive auf *-y*

angr**y**	–	angr**ily**
bus**y**	–	bus**ily**
happ**y**	–	happ**ily**
▲ sh**y**	–	sh**yly**

b) Adjektive auf Konsonant + *-le*

proba**ble**	–	proba**bly**
sensi**ble**	–	sensi**bly**
sim**ple**	–	sim**ply**

c) Adjektive auf *-ic*

bas**ic**	–	bas**ically**
econom**ic**	–	econom**ically**
fantast**ic**	–	fantast**ically**

▲ pub**lic** – publ**icly**

d) Adjektive auf *-ll*

fu**ll**	–	fu**lly**
du**ll**	–	du**lly**

e) Adjektive auf *-ly*

1. friend**ly** – **in a friendly way**
2. love**ly** – **beautifully**
3. sil**ly** – **in a silly way**/**stupidly**

Adjektive auf *-ly* bilden keine Adverbien mit *-ly*. Statt dessen werden Adverbialbestimmungen mit *way* (Beispiele 1 und 3) oder andere Adverbien mit ähnlicher Bedeutung (Beispiele 2 und 3) verwendet (vgl. aber *weekly*, *monthly* usw., 49).

▲
who**le**	–	who**lly**
d**ue**	–	du**ly**
tr**ue**	–	tru**ly**

f) Miss Turner is a **good** cook.
She cooks very **well**.

Das Adverb zu *good* ist *well*.

▲ Tony is **well** again.
Tony ist wieder gesund.

well („gesund") kann auch **prädikatives Adjektiv** sein.

49 Adverbien mit der Form von Adjektiven (Adverbs with the form of adjectives)

Mrs Wood left the party **early**.
The batteries cost **extra**.
Don't drive so **fast**.
Reg swam very **little** during his summer holidays.
I won't stay **long**, I'm in a hurry.
The pilot flew **low** over the sinking ship.
Gary must go **straight** to the doctor.
Mrs Johnson comes here **daily** to clean the house.
The comic is published **weekly**.
The weighing-machine is checked **yearly** for faults.

early, extra, fast, little, long, low und *straight* sowie *daily, weekly, monthly* und *yearly* haben für das Adjektiv und für das Adverb die gleiche Form.

Das Adverb

50 Adverbien mit zwei Formen (Adverbs with two forms)

Adverbien ohne die Endung -*ly*	Adverbien mit der Endung -*ly*
Bob always works **hard** before exams. … schwer/hart …	Jill felt so sick that she could **hardly** eat. … kaum …
The tourists got into the museum **free**. … umsonst.	Dogs can move around **freely** in this park. … frei …
The ball was kicked **high** into the air. … hoch …	This was a **highly** interesting conversation. … höchst …
Jack woke up **late**. … (zu) spät.	Kathy has often missed the bus **lately**. … in jüngster Zeit.
Ian hates washing up **most** of all. … am meisten.	Don **mostly** did his homework on the bus. … meistens …
Don't go too **near**. … nahe heran.	Miss White **nearly** had an accident. … fast/beinahe …
Claud is a **pretty** clever boy. … ziemlich …	Anne always dresses **prettily**. … hübsch.
Mike lives **close** to his school. … nahe …	The man followed **closely** behind the thief. … dichtauf …
"Play **fair** or don't play at all!" … fair …	It was **fairly** late when the Parkers arrived. … ziemlich …
That's **just** one of his silly remarks. … nur …	The new teacher treated his pupils **justly**. … gerecht.

📖 Einige Adverbien haben zwei Formen, die sich in ihrer Bedeutung unterscheiden.

51 Adverbien oder Adjektive nach bestimmten Verben (Adverbs or adjectives after certain verbs)

a) 1. Grandma **seems/appears tired** after her journey.
This football **feels hard** enough.
The results of your test **look good**.
This bread **smells fresh**.
The old records **sound terrible** on my new record-player.
Barry, your apple-pie **tastes delicious**.

2. The grass **is getting high**.
Our new maths teacher **is becoming** more and more **popular**.
Little Johnny **is growing bored** with his new toy.
The team will **go crazy** when they hear they've won the prize.

Nach Verben, die einen **Zustand** oder eine **Eigenschaft** (Beispiele 1) ausdrücken, stehen **Adjektive**, nicht Adverbien. Solche Verben können durch *be* ersetzt werden.
Adjektive stehen auch nach Verben, die die **Veränderung** eines **Zustands** (Beispiele 2) ausdrücken. Diese Verben entsprechen dem deutschen „werden".

b) 1. The stewardesses **looked smart** in their new uniforms.
 ... sahen schick aus ...
2. **Look carefully** before you cross the road.
 Paß auf, ...

In Beispiel 1 wird ein Zustand ausgedrückt: Das Adjektiv *smart* bezieht sich auf das Nomen *stewardesses*. Beispiel 2 dagegen beschreibt eine Tätigkeit: Das Adverb *carefully* bezieht sich auf das Verb *look*.

Soll bei den Verben *look*, *feel*, *smell*, *sound* und *taste* ein **Zustand** oder eine **Eigenschaft** ausgedrückt werden, so steht ein **Adjektiv** (Beispiel 1). Wird dagegen eine **Tätigkeit** beschrieben, muß ein **Adverb** verwendet werden (Beispiel 2).

▷ Zustandsverben: 118

52 Die Steigerung der Adverbien (The comparison of adverbs)

1. fast	fast**er**	fast**est**
high	high**er**	high**est**
soon	soon**er**	soon**est**
early	earli**er**	earli**est**
2. gladly	**more** gladly	**most** gladly
nervously	**more** nervously	**most** nervously
carefully	**more** carefully	**most** carefully
3. loudly	loud**er**/**more** loudly	loud**est**/**most** loudly
quickly	quick**er**/**more** quickly	quick**est**/**most** quickly
slowly	slow**er**/**more** slowly	slow**est**/**most** slowly

Einsilbige Adverbien und *early* werden mit *-er/-est* gesteigert (Beispiele 1).

Zwei- und **mehrsilbige** Adverbien bilden die Steigerungsformen mit *more* und *most* (Beispiele 2).

Einige zweisilbige Adverbien können sowohl mit *-er/-est* als auch mit *more/most* gesteigert werden (Beispiele 3).

53 Andere Formen der Steigerung (Other forms of comparison)

well	**better**	**best**
badly	**worse**	**worst**
much / a lot	**more**	**most**
a little	**less**	**least**
far	**farther** / **further**	**farthest** / **furthest**

54 Der Vergleich im Satz (Sentences with comparisons)

a) Sandra jumped **as** high **as** Lynn.
Ruth worked **more tidily than** her brother.

b) John can play basketball better than **me**/than **I can**.
Mike's neighbour has known Sue as long as **us**.
                                          ... wie uns/wie wir.
Mike's neighbour has known Sue as long as **we have**.
                                        ... wie wir (sie kennen).
Frank loves cats more than **me**.
                  ... als mich/als ich.
Frank loves cats more than **I do**.
                  ... als ich.

In der Umgangssprache wird bei Vergleichen häufig die Objektform des Personalpronomens verwendet. Wenn die Gefahr eines Mißverständnisses besteht, muß jedoch statt der Objektform die Subjektform + Verb gebraucht werden.

c) **The more strictly** the doctor spoke, **the more nervously** the patient listened to him.
The sooner you come **the better**.

Das deutsche „je ..., desto ..." wird im Englischen mit *the* + Komparativ, *the* + Komparativ wiedergegeben. Die Wortstellung ist die des normalen Aussagesatzes: Subjekt (*the patient*) – Verb (*listened*) – Objekt (*to him*).

d) The car went **slower and slower** till it came to a stop.
The two drivers behaved **more and more impolitely** as the argument went on.

Wenn zwei Komparative durch *and* verbunden werden, wird damit eine allmähliche Steigerung ausgedrückt: „immer langsamer", „immer unhöflicher".

55 Arten der Adverbien (Kinds of adverbs)

a) **Adverbien der Art und Weise (Adverbs of manner)**

The teacher spoke to the pupils **angrily**.
Steve drove **slowly** down the road.

Zu den Adverbien der **Art und Weise** gehören die meisten der von Adjektiven abgeleiteten Adverbien (vgl. 47), z.B. *beautifully, carefully, strongly*.

b) **Adverbien des Ortes und der Zeit (Adverbs of place and time)**

Please, put the books **here**.
Jill's parents are coming home **tomorrow**.

Zu den Adverbien des **Ortes** gehören: *anywhere, below, everywhere, far, here, inside, nowhere, outside, somewhere, there*.

Zu den Adverbien der **Zeit** gehören: *afterwards, already, early, immediately, just, lately, next, now, recently, soon, then, today, tomorrow, tonight, yesterday*.

c) **Häufigkeitsadverbien (Adverbs of frequency)**

The Ponds **usually** have breakfast at 7.30.
Mr Clark **rarely** walks to his office.

Zu den Adverbien der **unbestimmten Häufigkeit** gehören: *always*, *ever*, *frequently*, *generally*, *never*, *often*, *rarely*, *sometimes*, *usually*.

Zu den Adverbien der **bestimmten Häufigkeit** gehören: *every day, monthly, once, twice, weekly*.

d) **Gradadverbien (Adverbs of degree)**

Poor Peter has got a sore throat, he can **hardly** speak.
The tourists **particularly** enjoyed the visit to the museum.

Gradadverbien verstärken eine Aussage oder schwächen sie ab. Zu ihnen gehören: *almost, completely, even, hardly, just, nearly, only, particularly, quite, rather, really, too*.

56 Die Stellung der Adverbien und Adverbialbestimmungen (The word order with adverbs and adverbial phrases)

Adverbien und Adverbialbestimmungen können verschiedene Stellungen im Satz einnehmen, die sich vor allem nach der Beziehung zu dem näher bestimmten Satzteil und nach dem Satzakzent richten.

Es gibt drei grundlegende Stellungen:

a) **Front-position**

Suddenly Tom began to sing.

Das Adverb steht vor dem Subjekt.

b) **Mid-position**

1. Tom **usually** comes late.

   Das Adverb steht vor dem Hauptverb, wenn keine Hilfsverben vorhanden sind.

2. Tom is **usually** late.

   Das Adverb steht nach den Formen *am/are/is/was/were* des Vollverbs *be*.

3. Tom doesn't **usually** come late.
   Tom would **never** have arrived late if he'd run.

   Das Adverb steht nach dem (ersten) Hilfsverb.

c) **End-position**

1. The mayor spoke **clearly**.
2. Jeff swam **quickly** to the island.
3. Tina opened the envelope **slowly**.
4. Did you buy the pullover **yesterday**?

Das Adverb kann an verschiedenen Stellen hinter dem Verb stehen. Es darf jedoch **nie zwischen** das **Verb** und das **direkte Objekt** treten (Beispiele 3 und 4).

Das Adverb

57 Die Stellung der verschiedenen Arten der Adverbien und Adverbialbestimmungen (The word order with different kinds of adverbs and adverbial phrases)

a) Adverbien der Art und Weise (Adverbs of manner)

Jack repaired the puncture **easily**.
The climbing instructor asked everybody to behave **responsibly**.
The policeman spoke to the child **in a friendly way**.

Adverbien der Art und Weise haben in der Regel *end-position*.

b) Adverbien des Ortes und der Zeit (Adverbs of place and time)

Martin's girl-friend lost her gloves **yesterday**.
Martin's girl-friend lost her gloves **in town**.
Martin's girl-friend lost her gloves **in town yesterday**. ("place" before "time")

Adverbien des Ortes und der Zeit haben gewöhnlich *end-position*, und zwar am Satzende. Sie können aber auch *front-position* einnehmen, wenn etwa ein Gegensatz verdeutlicht werden soll, z.B.

Alex usually reads the newspaper **after lunch**.
But **yesterday** he read it before he went to bed.

c) Häufigkeitsadverbien (Adverbs of frequency)

1. Sue **generally** goes to bed at half past nine.
   Herb's father is **never** at home during the week.
2. The Spooners have been to London only **once**.
   The new magazine appears **monthly**.

Adverbien der **unbestimmten** Häufigkeit (Beispiele 1) haben in der Regel *mid-position*,
Adverbien der **bestimmten** Häufigkeit (Beispiele 2) dagegen in der Regel *end-position*.

▲   Carol **sometimes** felt quite unhappy.
Oder: **Sometimes** Carol felt quite unhappy.
Oder: Carol felt quite unhappy **sometimes**.

sometimes kann *mid-*, *front-* oder *end-position* haben.

d) Gradadverbien (Adverbs of degree)

1. Anne **particularly** liked the beginning of the story.
   Martin has **definitely** decided to quit his job.
2. Sylvia didn't enjoy the concert **very much**.
   She complained about the choir **a lot**.
3. The new coach is **quite** strict.
   So the team played **pretty** successfully.

Gradadverbien haben *mid-position*, wenn sie das Verb näher bestimmen (Beispiele 1). Die Adverbien *a bit*, *a little*, *a lot*, *very much* haben jedoch *end-position* (Beispiele 2). Wenn Gradadverbien ein Adjektiv oder ein Adverb näher bestimmen, stehen sie vor diesem Wort (Beispiele 3).

e) **Adverbien, die einen ganzen Satz näher bestimmen
(Adverbs modifying whole sentences)**

Unfortunately, the road was very wet.
Suddenly the car skidded.
Luckily, there wasn't much traffic at that moment.
Strangely enough, nobody was hurt in the crash.

Wenn Adverbien einen ganzen Satz näher bestimmen, haben sie meist *front-position*. Zu diesen Adverbien gehören: *in fact*, *maybe*, *naturally*, *obviously*, *perhaps*, *possibly*, *really*, *strangely*, *surely*, *(un)fortunately* und *(un)luckily*.

f) **Wortstellung bei zwei oder mehr Adverbien
(Word order with two or more adverbs)**

1. Fiona swam **well**¹ **at the Junior Championship**² **yesterday**³.

   Wenn mehrere Adverbien bzw. Adverbialbestimmungen in einem Satz *end-position* haben, ist die Reihenfolge gewöhnlich „Art und Weise" (1) – „Ort" (2) – „Zeit" (3).

2. Judy was **in Cornwall**¹ **twice**² **last year**³.

   Adverbien der bestimmten Häufigkeit (2) stehen am Satzende gewöhnlich hinter Adverbien des Ortes (1), aber vor Adverbien der Zeit (3).

▷ Inversion: 79

58 Englische Verben anstelle deutscher Adverbien
(English verbal expressions for German adverbs)

The book **seems to** be interesting.
Das Buch ist **anscheinend** interessant.

Mr Johnson **is known to** drink too much.
Mr Johnson trinkt **bekanntlich** zuviel.

Oliver **used to** smoke a pipe, didn't he?
Oliver rauchte **früher** Pfeife, nicht wahr?

Most children **are fond of** swimm**ing**.
Die meisten Kinder schwimmen **gern**.

Don **likes** read**ing** in bed.
Don liest **gerne** im Bett.

We **hope to** see you soon.
Hoffentlich sehen wir dich bald.

I'm sorry/**I'm afraid** I can't come.
Ich kann **leider** nicht kommen.

Ted **prefers** cycl**ing** to go**ing** by bus.
Ted fährt **lieber** Rad als mit dem Bus.

The Hills **are certain to** visit Munich.
Die Hills besuchen **sicher** München.

I **suppose** Ed will be able to come.
Ed wird **vermutlich** kommen können.

Kate **is likely to** win.
Kate wird **wahrscheinlich** gewinnen.

Go on try**ing**.
Versuch's **weiter**.

Stay here if it **keeps on** rain**ing**.
Bleib' hier, wenn es **weiterhin** regnet.

Did Tony **happen to** be at the concert?
War Tony **zufällig** im Konzert?

Mengenbezeichnungen (Quantifiers)

59 "Some", "any" und ihre Zusammensetzungen ("Some", "any" and their compounds)

a) 1. We've got **some** sausages and we've got **some** roast beef.
2. Isn't there **any** bacon? – No, and we have**n't** got **any** eggs either.
3. Can I have **some** sauce, please?
   Would you like **some** sandwiches?

some und *any* können sowohl bei zählbaren als auch bei nicht-zählbaren Begriffen stehen.

In Aussagesätzen wird *some* verwendet (Beispiel 1).

In Fragen und verneinten Sätzen wird *any* gebraucht (Beispiele 2).

some wird dann in Fragen verwendet, wenn man eine Bitte aussprechen oder etwas anbieten will (Beispiele 3).

▲ Would you like **some bread**?
   … Brot/etwas Brot …

I want **some tomatoes**.
   … Tomaten/ein paar, einige Tomaten …

Is there **any** butter left?
   … Butter/etwas Butter …

b) I need **some** paper. Can you give me **some**? –
Sorry, I haven't got **any** here at the moment.
I'd like to have **some** strawberries. –
We haven't got **any** strawberries today.

some und *any* können Adjektiv oder Pronomen sein. Als Pronomen beziehen sie sich auf ein vorausgehendes Nomen.

c) Sally needs **somebody** to help her with her homework.
I'd prefer **something cold** to drink.
Did you notice **anybody** near the bank?
Tim did**n't** speak to **anybody interesting** at the party.
Do**n't** put **anything** on this shelf, please.
Did Jeff buy **anything special** in Italy?

Wie *some* und *any* werden auch die Zusammensetzungen *somebody, someone, something, anybody, anything* verwendet. Ihnen kann ein Adjektiv folgen.

60 Every, each, any, all

a) Das deutsche „jeder" kann im Englischen durch *every*, *each* und *any* wiedergegeben werden.

1. Grandpa went for a walk **every** day last week.
   Everybody relaxed after the long journey.

   every und seine Zusammensetzungen (*everybody*, *everything* usw.) werden verwendet, wenn „jeder" in einem ganz allgemeinen Sinn gemeint ist (jeden Tag, d. h. während der ganzen Woche; jeder, d. h. alle ohne Ausnahme).

2. A passport officer asked **each** of the passengers some questions.
   Two pills must be taken after breakfast **each** day for a week.

   each betont jede einzelne Person oder Sache aus einer begrenzten Anzahl (jeden Reisenden, d. h. jeden einzelnen, einen nach dem anderen; an jedem Tage, d. h. an jedem der sieben Wochentage).

3. Think of a number. Choose **any** number between one and fifty.
   Anybody can become a member of our sports club.

   Im Aussagesatz bedeuten *any* und seine Zusammensetzungen (*anybody*, *anything* usw.) „jeder [beliebige]", „irgendeiner [ganz gleich, welcher]" (jede Zahl zwischen 1 und 50, d. h. irgendeine Zahl zwischen 1 und 50; jeder, d. h. jeder beliebige, ganz gleich, wer, kann Mitglied unseres Sportklubs werden).

▲ **every** day = Monday **and** Tuesday **and** Wednesday, etc.
  any day   = Monday **or** Tuesday **or** Wednesday, etc.

b) Mr Stone stayed in bed **all day**.
   All books must be paid for at the counter.

   all + Singular bedeutet „all(es)", „ganz", *all* + Plural „alle (ohne Ausnahme)".

▲ 1. **All** workers look forward to their holidays.
     All the workers in this factory must take their holidays in August.

   all + Nomen hat eine allgemeine Bedeutung; *all the* + Nomen bedeutet „alle" aus einer bestimmten Anzahl.

   2. **every** = jeder (**ganz allgemein verstanden**)   **any** = jeder (**beliebige**)
      each = jeder (**einzelne**)   **all** = alle (**ohne Ausnahme**)

61 Die Übereinstimmung von "somebody" usw. mit den darauf folgenden Pronomen (The concord with "somebody", etc.)

Look! **Somebody** has parked his/**their** car at the exit.
If **anybody** needs a ticket, ask him/**them** to come to the office.
Nobody wanted to help, did he/did **they**?
Everybody must leave his/**their** things in the classroom.

Obwohl nach *somebody/someone*, *anybody/anyone*, *nobody/no-one*, *everybody/everyone* das **Verb** im **Singular** steht, werden die sich auf diese Zusammensetzungen beziehenden **Pronomen** sehr häufig im **Plural** verwendet: *their*, *them*, *they*.

62 A lot of, many/much, a few/a little

Zählbare Begriffe (Countables)	Nicht-zählbare Begriffe (Uncountables)
How **many cups** are there on the tray**?**	How **much coffee** have we got**?**
Oh, there are **a lot of cups**.	We've still got **a lot of coffee**.
But we have**n't** got **many plates**.	But there's **not much tea**.
And there are only **a few spoons**.	And there's only **a little milk**.

a lot of kann bei **zählbaren** und **nicht-zählbaren** Begriffen stehen.

many (viele) und *a few* (einige, ein paar) werden **nur** bei **zählbaren** Begriffen verwendet.

much (viel) und *a little* (ein wenig, ein bißchen, etwas) stehen **nur** bei **nicht-zählbaren** Begriffen.

In Aussagesätzen wird *a lot of* gegenüber *many/much* bevorzugt. Anstelle von *a lot of* können auch *lots of*, *plenty of*, *a great deal of* gebraucht werden.

▲ 1. There was **little** cream left.
   ... wenig ...
   Would you like **a little** cream?
   ... ein wenig, ein bißchen, etwas ...

2. **Few** of my friends helped me.
   Wenige ...
   Last night I met **a few** of my friends.
   ... einige, ein paar ...

63 "No, nobody" usw., "none"

1. There were **no** tourists in the bus.
2. I hope you're feeling **no** worse this morning.
3. The children had **no** money to buy a present.
   (The children did**n't** have **any** money to buy a present.)
4. **Nobody** was allowed to enter the room.
5. Is there any tea left? – No, **none** at all.

no wird adjektivisch in der Bedeutung „kein" (Beispiele 1 und 3) und adverbial in der Bedeutung „nicht" (Beispiel 2) gebraucht.

no ist stärker als *not ... any* (Beispiel 3). Dies gilt auch für die Zusammensetzungen *nobody*, *no-one*, *nothing* (Beispiel 4).

none wird nominal verwendet und bedeutet „keiner" (Beispiel 5).

▲ **Nobody** was allowed to enter the room.
Niemand/Keiner durfte ...

None of the pupils was allowed to enter the room.
Keiner der Schüler durfte ...

64 Both, either, neither

a) **Both men** got into trouble with the police.
Oder:
Both (of) the men got into trouble with the police.
Beide Männer ...

We both managed to solve the maths problem quickly.
Oder:
Both of us managed to solve the maths problem quickly.
Wir beide ...

both besitzt die Bedeutung „(alle) beide, der eine wie der andere".

▲ **Both (of) the** children practise the piano regularly.
Beide Kinder ...

Both (of) these children practise the piano regularly.
Diese beiden Kinder ...

Both (of) my children practise the piano regularly.
Meine beiden Kinder ...

both steht immer **vor** dem bestimmten Artikel oder einem anderen Bestimmungswort.

b) The 19 and the 36 go to the airport. You can take **either bus**.
... jeden Bus (den einen wie den anderen).

Both these blouses cost the same. Rose can have **either** for her birthday.
... eine (von ihnen) ...

either hat die Bedeutung „der eine oder der andere (von zweien)" und kann mit „jeder" oder „einer" übersetzt werden.

c) **Neither suggestion** was helpful.
Keiner der beiden Vorschläge ...

Which flat are you going to rent? – **Neither**, I'm afraid. They're both too expensive.
Keine (von beiden), ...

neither hat die Bedeutung „keiner (von zweien)".

▲ **Neither** of them was successful.
Keiner von ihnen (beiden) ...

None of them was successful.
Keiner von ihnen (allen) ...

Das Pronomen (The pronoun)

Das Personalpronomen (The personal pronoun)

65 a)

	Subjektform	Objektform
1. Person Singular	**I**	**me**
2. Person Singular	**you**	**you**
3. Person Singular	**he**, **she**, **it**	**him**, **her**, **it**
1. Person Plural	**we**	**us**
2. Person Plural	**you**	**you**
3. Person Plural	**they**	**them**

	Direktes Objekt		Indirektes Objekt	
When Jane saw	**him**	she told	**him**	the story.

Direktes und indirektes Objekt des Personalpronomens lauten **gleich**.

▷ Geschlecht der Nomina: 3

b) 1. Who plays table-tennis? – **Me**.
   2. Who's there? – It's **us**.
   3. Peter is taller than **her**.
   4. John is as strong as **me**.

In der Umgangssprache steht die Objektform des Personalpronomens in Kurzantworten auf *who*-Fragen und nach *than* und *as* bei Vergleichen.

▷ Vergleich im Satz: 43, 54
▷ Möglichkeiten, etwas hervorzuheben: 253 g

66 You, they, one

1. **You** can't have everything.
   Man kann nicht alles haben.
2. **They** (**People**) say that the fine weather won't last.
   Man sagt, daß das gute Wetter nicht andauern wird.
3. **One** doesn't do that.
   So etwas tut man nicht!

you, *they*, *one* (und *people*) können im Sinne des deutschen „man" verwendet werden. *one* wird im formellen Englisch, *you*, *they* (und *people*) werden dagegen eher in der Umgangssprache gebraucht.

▷ Passiv: 179 b, 184 a, 185

67 Das nominal gebrauchte Possessivpronomen (The possessive pronoun)

a)

	Singular	Plural
1. Person	**mine**	**ours**
2. Person	**yours**	**yours**
3. Person	**his**	
	hers	**theirs**
	its	

Tom's bike is black, **mine** (= my bike) is blue.
These aren't my records, they're **hers** (= her records).

mine, yours, theirs usw. beziehen sich auf ein vorausgehendes Nomen. Sie werden verwendet, wenn man das Nomen nicht noch einmal wiederholen will.

▷ Adjektivisch gebrauchtes Possessivpronomen: 44

b) Lynn has always been **a** friend **of his** (of Tom's).
　　　　　　　　　　　　… eine Freundin von ihm (von Tom).
Please tell Jane I've still got **three** slides **of hers**.
　　　　　　　　　　　　… drei Dias von ihr.
Why don't you invite **a few** classmates **of yours**?
　　　　　　　　　　　　… von dir?

In Verbindung mit dem unbestimmten Artikel, mit Zahlwörtern und anderen Bestimmungswörtern werden *mine, yours* usw. in der nachgestellten *of*-Fügung verwendet.

68 Das Reflexivpronomen (The reflexive pronoun)

a)

	Singular	Plural
1. Person	**myself**	**ourselves**
2. Person	**yourself**	**yourselves**
3. Person	**himself**	
	herself	**themselves**
	itself	

1. John is talking to **Bob**.　　2. John is talking to **himself**.
　John spricht mit Bob.　　　　　John spricht mit sich (selbst).

In Beispiel 1 bezieht sich die Handlung des Subjekts *(John)* auf eine andere Person *(Bob)*. In Beispiel 2 bezieht das Subjekt *(John)* die Handlung auf sich selbst. Sie ist also **rückbezüglich** (= reflexiv).

Weitere Beispiele für das Reflexivpronomen:

I enjoyed **myself** very much.
　　　　… mich …
The children are old enough to look after **themselves**.
　　　　　　　　　　　　　　　　… sich …

Peter, you ought to introduce **yourself** to the manager.
   ... dich ...

John and Mary, did you hurt **yourselves**?
   ... euch ...

b) Do you **remember** where you put the key?
Erinnerst du dich, ...

Vielen im Deutschen reflexiven Verben entsprechen im Englischen nicht-reflexive Verben, z. B. *change* (sich verändern), *imagine* (sich vorstellen), *lie down* (sich hinlegen), *look forward to* (sich freuen auf), *open* (sich öffnen), *relax* (sich entspannen), *remember* (sich erinnern).

69 Each other, one another

Jack and Tom lost **each other** in the huge crowd.
Jack und Tom verloren sich (= einander) ...

The dogs jumped at **one another**.
   ... sprangen sich (= einander) an.

each other oder *one another* stehen, wenn eine **wechselseitige** Beziehung ausgedrückt werden soll.

▲ Robert and Elaine could see **themselves** in the restaurant window.
Robert und Elaine konnten sich (= sich selbst) im Fenster des Restaurants sehen.

Robert and Elaine couldn't see **each other** in the crowded restaurant.
Robert und Elaine konnten sich (= einander) in dem überfüllten Restaurant nicht sehen.

70 Das verstärkende Pronomen (The emphasizing pronoun)

1. The German tourist group met **the astronaut Neil Armstrong himself**.
   ... den Astronauten Neil Armstrong selbst.
2. Did you give the money to **Dick himself**, or to his wife?
   ... Dick selbst ...
3. **The children themselves** saw the accident.
   Die Kinder selbst ...
4. **The children** saw the accident **themselves**.
   Die Kinder ...   ... selbst.
5. **You** said so **yourself**.
   Du selbst hast es gesagt.

Das verstärkende Pronomen hebt ein Nomen oder Pronomen hervor. Es entspricht in der Form dem Reflexivpronomen (vgl. 68). Das verstärkende Pronomen steht **hinter** dem Wort, das hervorgehoben werden soll (Beispiele 1-3). Wenn das **Subjekt** betont wird, tritt das verstärkende Pronomen jedoch häufig an das **Satzende** (Beispiele 4 und 5).

71 Das Demonstrativpronomen (The demonstrative pronoun)

1. **This** is a British passport.
   That's a British passport.
   These are German identity cards.
   Those are German identity cards.

2. **This** shop is open, but **that** shop (over there) is closed.
   These containers are empty, but **those** containers (over there) are full.
   200 years ago travelling was dangerous. It wasn't convenient in **those** days either.
                                                                             ... damals ...

Die Demonstrativpronomen *this/that* (Singular) und *these/those* (Plural) können oft unterschiedslos verwendet werden (Beispiele 1). Bei räumlich Entfernterem und bei Bezug auf die Vergangenheit werden jedoch nur *that* und *those* gebraucht (Beispiele 2).

▲ What's **this**?   – **It**'s a cookery book.
           that?

  What are **these**?   – **They**'re hobby magazines.
              those?

▷ Relativpronomen: 240, 242

Fragewörter (Question words)

72 Who, what

a)
Subjektform	Possessivform	Objektform
who	whose	who/whom
what	–	what

1. **Who** has ever heard of such a terrible disaster?
   Whose fault was it?
   Who could we ask?
   Oder:
   Whom could we ask?
2. **What** were the effects of the explosion?
   What do the papers say?
3. **Who** should the workers complain **to**?
   What must the factory owners pay **for**?
4. **To whom** should the workers complain?

who, whose, whom fragt nach Personen (Beispiele 1), *what* nach Dingen (Beispiele 2). Man kann mit *who* und *what* nach dem Subjekt oder dem Objekt eines Satzes fragen, mit *whom* nur nach dem Objekt. Wenn *who* oder *what* mit einer Präposition verwendet wird, steht sie gewöhnlich hinter dem Verb (Beispiele 3). In Verbindung mit *whom* steht sie jedoch meist vor dem Fragewort (Beispiel 4).

whom wird eher im formellen Englisch verwendet.

▷ Wortstellung: 77

b) Antworten auf "who"-Fragen (Answers to who-questions)

Who is this?	– **It**'s Sally.
Who is this?	– **It**'s Dave and Mary.
Who is Sally?	– **She**'s Mike's sister.
Who are Dave and Mary?	– **They**'re Sally's friends.
Who drives best?	– **I** do./**Me**.

73 What/Which

1. **What** cities have you lived in? – New York, Paris and Berlin.
2. **Which** city would you go back to? – Oh, Paris, of course.
3. **What** products does your firm sell in France? – Blazers, skirts and jeans.
4. **Which** do you sell the most of? – Jeans, I think.
5. **What** people buy your products? – Teenagers, as a rule.

what wird verwendet, wenn die Auswahl **nicht begrenzt** ist („welche [ganz allgemein]?", Beispiel 1) oder wenn man nach der **Eigenschaft** oder der **Beschaffenheit** von Personen oder Sachen fragt („was für [ein]?", Beispiele 3 und 5).

which wird verwendet, wenn nach einer Person oder einer Sache aus einer **begrenzten** Anzahl gefragt wird („welche [ganz speziell]?", Beispiele 2 und 4).

▲ **What** record …? **What** shops …?
what kann nicht allein stehen.

Which record …? **Which** is the cheapest?
which kann vor einem Nomen oder auch allein stehen.

Which (one) of the records was produced in the U.S.A.?
which steht häufig vor einer *of*-Fügung. Die Verwendung von *one/ones* ist wahlfrei.

74 When, where, why, how, how many, how much, how long

When did Inspector Brown leave the police-station? – At eight o'clock.
when fragt nach der Zeit.

Where's the headmaster? – In the playground.
Where's the headmaster going? – He's going to the car-park.
where fragt nach dem Ort oder der Richtung.

Why did you give up smoking? – Because my doctor told me to.
why fragt nach dem Grund.

How do you make apple pie? – Well, that's easy. Let me explain.
how fragt nach der Art und Weise.

How many people attended the concert? – A huge crowd of 2,200.
How much butter do you want? – Half a pound, please.
How much is that hamburger? – Seventy pence.
How long does the film last? – Almost two hours.
Die zusammengesetzten Fragewörter *how many*, *how much*, *how long* fragen nach Anzahl, Menge, Preis und Dauer.

Wortstellung (Word order)

75 Aussagesatz (Positive sentence)

Subject	Verb	Object
David	can speak	Italian.
The children	are writing	a test.
Liz	has broken	her arm.
Mr Simon	plays	tennis.
The Johnsons	like	Indian food.

Die normale Wortstellung im Englischen ist **Subject – Verb – Object**.

▷ Stellung des Adverbs: 57

76 Verneinter Satz (Negative sentence)

Subject	Auxiliary + "not"	Verb	Object
Mark	**can't**	speak	Italian.
The children	**aren't**	writing	letters.
Liz	**hasn't**	broken	her leg.
Mrs Simon	**doesn't**	play	tennis.
The Jacksons	**don't**	like	Indian food.

Der verneinte Satz wird mit einem **Hilfsverb + not** gebildet. Ist kein anderes Hilfsverb vorhanden, muß eine Form von *do (do/does/did)* verwendet werden.

77 Fragesatz (Question)

a)

Question word	Auxiliary	Subject	Verb	Object
–	**Can**	Mark	speak	Italian?
–	**Are**	the children	writing	letters?
–	**Has**	Liz	broken	her leg?
–	**Does**	Mrs Simon	play	tennis?
–	**Do**	the Jacksons	like	Indian food?
Where	**are**	the people	going?	
What	**has**	Peter	lost?	
How long	**has**	Tom	been swimming?	
When	**do**	you	hold	your meetings?
Why	**did**	the disc jockey	play	that old song?

Für die Bildung der Frage wird ein **Hilfsverb** gebraucht, außer wenn nach dem Subjekt des Satzes gefragt wird. Ist kein anderes Hilfsverb vorhanden, muß eine Form von *do (do/does/did)* verwendet werden.

▲ Which town do you live **in**?   Who did you get it **from**?
In welcher ...   Von wem ...

Im Englischen steht die zu einem Fragewort gehörende Präposition gewöhnlich **am Ende** des Fragesatzes.

b)

Question word	Verb	Object
Who	understands	English dialects?
What	solved	the problem?
Who	is going to call	the box-office?
Which of you	knows	a new recipe?
What pupils	specialize	in science?

Wenn nach dem **Subjekt** eines Satzes gefragt wird, ist die Wortstellung **Question word – Verb – Object**.

▲ Subjekt: **Who** likes Peter?
Wer mag Peter?

Objekt: **Who** does Peter like?
Wen mag Peter?

78 Die Stellung des indirekten und direkten Objekts (The position of the indirect and direct object)

a)
1. Subject	Verb	Indirect object	Direct object
Mr Evans	cooked	his wife	**a steak** (not a curry).
Sally	showed	her friends	**some slides** (not films).

2. Subject	Verb	Direct object	Indirect object
Mr Evans	cooked	a steak	**for his wife** (not his children).
Sally	showed	some slides	**to her friends** (not her parents).

Wenn bei Verben mit zwei Objekten das **direkte Objekt inhaltlich wichtiger** ist, verwendet man die Wortstellung wie im Beispiel 1. Die Wortstellung wie im Beispiel 2 wird gebraucht, wenn das **indirekte Objekt hervorgehoben** werden soll.

b) When did you tell Jim the bad news? –
I told **him it** yesterday.   *Or:* I told **it to him** yesterday.

Wenn das direkte und das indirekte Objekt eines Satzes **Pronomen** sind, sind beide Wortstellungen gleichermaßen gebräuchlich.

c)
	Direct object	Indirect object
1. The teacher **explained**	difficult words	**to** the class.

	Indirect object	Direct object
2. The teacher **explained**	**to** the class	the ten most difficult words.

Bei einer Reihe von Verben sind zwar auch beide Wortstellungen möglich, das indirekte Objekt wird aber immer mit *to* angeschlossen. Die Wortstellung wie im Beispiel 2 wird dann gebraucht, wenn das direkte Objekt besonders hervorgehoben werden soll.

📖 Zu diesen Verben gehören *announce, deliver, describe, dictate, explain, introduce, mention, point out, report, say, suggest.*

Wortstellung

79 Inversion (Inversion)

a) Only once **did Jean's husband offer** to wash up after dinner.
Never   **have I been** so angry.
Hardly   **had Bill left** when his wife rang up her friend.
No sooner **had our group arrived** at the sea than the weather got cold.

Einige Adverbien und Adverbialbestimmungen mit einschränkender oder negativer Bedeutung können am Satzanfang stehen, wenn sie besonders betont werden sollen. Die Wortstellung ist die gleiche wie in Fragesätzen (vgl. 77a).

Zu diesen Adverbien und Adverbialbestimmungen gehören *hardly, in no way, never, no sooner, not only, not till (tomorrow), nowhere, only (once), rarely, under no circumstances.*

✱ b) **Here comes** the taxi.
There goes my last pound note.
In came the headmaster.
Out got a beautiful woman.
Up went the rocket.
(But: Here it comes. – There it goes. – In he came. – etc.)

Die Adverbien *back, down, here, in, out, over, round, there, up* stehen in der Umgangssprache oft am Satzanfang. Dies gilt jedoch nur für das *simple present* und das *simple past*. Wenn das Subjekt ein Nomen ist, wird das Verb vor das Nomen gestellt.

Das Verb (The verb)

80 Die englischen Verben lassen sich in drei Gruppen einteilen:

a) **Vollverben** *(main verbs)*, z.B. *play, read, work, think, like, hear*

b) **Hilfsverben** *(primary auxiliaries)*: *be, do, have*

c) **Modale Hilfsverben** *(modal auxiliaries or modals)*: *can/could, may/might, will/would, shall/should, must, needn't, mustn't, ought to*

▷ Vollverben: 110-178
▷ Modale Hilfsverben: 83-106

"Be", "do", "have" als Hilfsverben ("Be", "do", "have" as primary auxiliaries)

81 Formen (Forms)

a) **Be**

Present tense	Past tense	Past participle	-ing form
I **am** you **are**	I **was** you **were**	**been**	**being**
he **is** we **are**	he **was** we **were**		
she **is** they **are**	she **was** they **were**		
it **is**	it **was**		

Kurzforme (Contracted forms)

I**'m** = I am
he**'s**/she**'s**/it**'s** = he is/she is/it is
you**'re**/we**'re**/they**'re** = you are/we are/they are

is**n't** = is not
are**n't** = are not
was**n't** = was not
were**n't** = were not

▷ *be* als Vollverb: 176 a

b) **Do**

Present tense	Past tense	Past participle	-ing form
I **do** he **does**	**did**	**done**	**doing**
you **do** she **does** [dʌz]			
we **do** it **does**			
they **do**			

Kurzforme (Contracted forms)

do**n't** = do not   does**n't** = does not   did**n't** = did not

▷ *do* als Vollverb: 176 b

"Be", "do", "have" als Hilfsverben

c) **Have**

Present tense		Past tense	Past participle	-ing form
I **have**	he **has**	**had**	**had**	**having**
you **have**	she **has**			
we **have**	it **has**			
they **have**				

Kurzformen (Contracted forms)

I**'ve**/you**'ve**   =   I have/you have
we**'ve**/they**'ve**   =   we have/they have
he**'s**/she**'s**/it**'s** =   he has/she has/it has

I**'d**/you**'d**   =   I had/you had
he**'d**/she**'d**/it**'d** =   he had/she had/it had
we**'d**/they**'d**   =   we had/they had

have**n't**   =   have not
has**n't**   =   has not
had**n't**   =   had not

▷ *have* als Vollverb: 176 c

82 Funktionen (Functions)

Herb **is playing** baseball this afternoon.	(*present progressive*, Gegenwartsbezug)
His team **is playing** in Atlanta next Friday.	(*present progressive*, Zukunftsbezug)
Does he still **play** for the Mets**?**	(*simple present*, Frage)
Has he **played** for other teams**?**	(*present perfect*, Frage)
He**'s been playing** for the Mets for 3 years.	(*present perfect progressive*)
How **did** he **play** last Friday**?**	(*simple past*, Frage)
He **didn't play**.	(*simple past*, Verneinung)
The national anthem **was played** at the game.	(*simple past*, Passiv)

Mit Hilfe der Formen von *be*, *do* und *have* lassen sich von jedem Vollverb alle Tempora in Aussage, Frage und Verneinung bilden. Dies gilt für das Aktiv wie für das Passiv und für die *simple form* wie für die *progressive form*.

▷ Gegenwarts- und Vergangenheitszeiten: 121–159
▷ Sprachmittel zum Ausdruck zukünftigen Geschehens: 160–175
▷ Passiv: 179–187
▷ Wortstellung (Fragebildung, Verneinung): 76–77

Modale Hilfsverben (Modals)

83 Formen (Forms)

a)

Positive		Negative	
Langformen (Full forms)	Kurzformen (Contracted forms)	Langformen (Full forms)	Kurzformen (Contracted forms)
can	–	cannot	can't [kɑːnt]
could	–	could not	couldn't
may	–	may not	–
might	–	might not	mightn't
will	'll	will not	won't [wəʊnt]
would	'd	would not	wouldn't
shall	'll	shall not	shan't [ʃɑːnt]
should	'd	should not	shouldn't
must	–	must not	mustn't [mʌsnt]
–	–	need not	needn't
ought to	–	ought not to	oughtn't to [ˈɔːtntə]

b) Die modalen Hilfsverben sind **unvollständig**, d.h., sie können nicht alle Tempora bilden. Die fehlenden Tempora werden mit Hilfe bedeutungsverwandter Verben gebildet, z.B. mit *have (got) to* für *must*:

There **must** be some more coffee left. *(present tense)*
Bill **had to** get up for work at six yesterday. *(past tense)*
We**'ll have to** leave without John, if he doesn't get back in time. *(will-future)*
Jane **has** never **had to** work hard. *(present perfect)*

Weitere den modalen Hilfsverben bedeutungsverwandte Verben sind z.B. *be able to* und *be allowed to*.

▷ Modale Hilfsverben in der indirekten Rede: 228–229

c) 1. Sandra **can** speak French very well.
   2. **Can you** open the window, please?
   3. Jane's husband **can't** (**cannot**) drive a car.
   4. Harry **can** help Judy with the cooking, **can't** he?

Diese Beispiele zeigen, wie sich die modalen Hilfsverben in ihrer Verwendung im Satz von den Vollverben unterscheiden:

Die **3. Person Singular** des *present tense* hat kein *-s* (Beispiel 1).

Fragen werden durch die Umstellung von Subjekt und modalem Hilfsverb gebildet (Beispiel 2).

Die **Verneinung** wird durch Anfügen von *not* an das modale Hilfsverb gebildet (Beispiel 3).

In Sätzen mit einem **Frageanhängsel** (*question tag*) wird das modale Hilfsverb wieder aufgenommen (Beispiel 4).

▲   Dave **kann** Russisch.   =   Dave **can speak** Russian.

Modale Hilfsverben

84 Funktionen (Functions)

Mit den modalen Hilfsverben wird der Aussage des Vollverbs eine weitere Bedeutung hinzugefügt. Sie bringt die Einstellung oder Haltung des Sprechers zur Aussage des Vollverbs zum Ausdruck. Modale Hilfsverben drücken also z.B. aus, daß etwas geschehen (oder sein) **kann**, **darf**, **soll**, **muß** usw.:

Can you change the wheel?	können (Fähigkeit/Bitte)
The weather forecast **can** be wrong.	können (Möglichkeit)
May I go to the cinema?	dürfen (Erlaubnis)
You **ought to** be listening.	sollen (Verpflichtung)
You **must** do what I tell you.	müssen (Zwang)

85 Can (vgl. Sprechabsichten: 96, 99, 100, 101, 103, 105)

a) Fred's hand is much better now. He **can** move it again.
   Sorry, I **can't** help you. I don't know how to change a wheel.

   can drückt eine **Fähigkeit** *(ability)*, *can't* eine **Unfähigkeit** *(inability)* aus.

b) Your brother **can** have my bike. I don't need it today.
   Diana **can't** go camping with her boy-friend. Her mother won't allow that.

   can drückt eine **Erlaubnis** *(permission)*, *can't* ein **Verbot** *(prohibition)* aus.

c) An accident **can** happen even to the most careful driver.
   That **can't** be Mr Wood. He's still on holiday.

   can drückt eine **Möglichkeit** *(possibility)*, *can't* eine **Unmöglichkeit** *(impossibility)* aus.

d) **Can** I use your telephone, please**?**
   Can't we go to the cinema tonight**?**

   Fragen mit *can* drücken eine **Bitte** *(request)* aus. Fragen mit *can't* lassen sich verwenden, um einen **Vorschlag** *(suggestion)* zu machen.

86 Could (vgl. Sprechabsichten: 96, 99, 100, 101, 103, 105)

a) When Doris came to the U.S.A., she **could** only speak a little English.
   Linda sprained her wrist, so she **couldn't** play basketball last Tuesday.

   could drückt eine **Fähigkeit** *(ability)*, *couldn't* eine **Unfähigkeit** *(inability)* in der **Vergangenheit** aus.

b) At my old school I **could** use a pocket calculator.
   ... durfte ich einen Taschenrechner benutzen.
   The fans **couldn't** enter the concert hall.

   could drückt eine **Erlaubnis** *(permission)*, *couldn't* ein **Verbot** *(prohibition)* in der **Vergangenheit** aus.

c) 1. An expert **could** answer Don's question.
   Ein Fachmann könnte Dons Frage beantworten.
2. How strong you are! I **couldn't** carry such heavy crates.
3. **Could(n't)** Janet have left her purse at the baker's?

could drückt eine **Möglichkeit** *(possibility)* (Beispiel 1), *couldn't* eine **Unmöglichkeit** *(impossibility)* aus (Beispiel 2). Mit *could* und *couldn't* kann auch nach einer Möglichkeit **gefragt** werden (Beispiel 3).

d) 1. **Could** you post this letter, please?
   Könntest du bitte diesen Brief einstecken?
2. **Couldn't** you take the dog for a walk?
3. **Couldn't** we play cards with the Parkers next Sunday?

Fragen mit *could* und *couldn't* drücken eine **Bitte** *(request)* aus (Beispiele 1 und 2). Mit *couldn't* kann man auch einen **Vorschlag** *(suggestion)* machen (Beispiel 3).

87 May (vgl. Sprechabsichten: 99, 105)

a) The Greenbaums **may** be moving next year.
   Die Greenbaums ziehen im nächsten Jahr vielleicht um.
   The way I see it, you **may not** be right.
   So wie ich es beurteile, haben Sie möglicherweise nicht recht.

may und *may not* drücken eine **Möglichkeit** *(possibility)* aus.

b) **May I** go to the concert?
   Darf ich ...?
   May we leave an hour earlier today?

Fragen mit *May I ... ?/May we ... ?* drücken **Bitten um Erlaubnis** *(requests for permission)* aus.

You **may** smoke in this part of the cinema.
Magazines **may not** be taken out of the waiting room.

may zum Ausdruck einer **Erlaubnis** *(permission)* und *may not* zum Ausdruck eines **Verbots** *(prohibition)* finden sich vor allem im formellen Englisch.

88 Might (vgl. Sprechabsichten: 105)

Let's ring up Martina. She **might** still be at home.
                 Sie ist vielleicht noch zu Hause.
Going by train **mightn't** be a bad idea after all.
Vielleicht ist es doch keine schlechte Idee, mit der Bahn zu fahren.

might und *mightn't* drücken eine **Möglichkeit** *(possibility)* aus.

Modale Hilfsverben

89 Will (vgl. Sprechabsichten: 98, 101, 102, 106)

a) 1. **Will** you please repeat the sentence, Bill**?**
   Wiederhole bitte den Satz, Bill.
2. You **won't** tell your sister anything, **will** you**?**
   Du erzählst doch deiner Schwester bitte nichts, oder?
3. **Will** you have another sandwich, Mr Hill**?**
   Möchten Sie noch ein Sandwich, Mr Hill?
4. **Won't** you sit down, Mrs Blake**?**
5. You **will** do what I've just told you.
   Mache gefälligst, was ich gerade gesagt habe!
6. All members **will** register any guests they bring to the club.
   Alle Mitglieder haben Gäste, die sie in den Klub mitbringen, anzumelden.

will drückt eine **Bitte** *(request)* (Beispiele 1 und 2) oder ein **Angebot** *(offer)* bzw. eine **Einladung** *(invitation)* (Beispiele 3 und 4) aus.

Außerdem kann man mit *will* **Befehle** *(orders)* (Beispiel 5) und **Anordnungen** *(instructions)* (Beispiel 6) ausdrücken, die keinen Widerspruch zulassen.

b) That's the bell. It**'ll** be the postman, I'm sure.
   Das wird sicher der Briefträger sein.

Frank **will** have heard about his team's success.
Frank hat sicher vom Erfolg seiner Mannschaft gehört.

will drückt eine **Wahrscheinlichkeit** *(probability)* aus.

c) I'm sure Tracy stole that money, but she **won't** admit it.
   ..., aber sie weigert sich, es zuzugeben.

Something is wrong with the car. The engine **won't** start.
Der Motor will einfach nicht anspringen.

won't drückt eine **Weigerung** *(refusal)* aus.

d) Charlie **will** sit in a pub for hours and chat with the landlord.
   Charlie pflegt stundenlang in einem Gasthaus zu sitzen ...

When the cat is away, the mice **will** play.
Wenn die Katze fort ist, tanzen die Mäuse.

will drückt ein **typisches Verhalten** *(typical behaviour)* aus.

90 Would (vgl. Sprechabsichten: 101, 102, 106)

a) 1. **Would** you please ring up Mrs Spooner as soon as possible, Dave**?**
   Würdest du wohl bitte ... ?
2. Perhaps you **would** be interested in listening to my new records, Phil**?**
3. **Would** you like a drink, Dad**?**

would in Fragen drückt eine **Bitte** *(request)* (Beispiel 1) oder ein **Angebot** *(offer)* bzw. eine **Einladung** *(invitation)* (Beispiele 2 und 3) aus.

b) A short walk after lunch **would** do us good.
   ... würde uns guttun.

A sensible suggestion **would** have helped to solve the problem.
Ein vernünftiger Vorschlag hätte dazu beigetragen, ...

would drückt eine **Wahrscheinlichkeit** *(probability)* aus.

c) The doctor advised Tom to stop drinking, but he **wouldn't**.
   ..., aber er weigerte sich.

Clare tried to push the parcel under the wardrobe, but it **wouldn't** go.
   ..., aber es ging einfach nicht.

wouldn't drückt eine **Weigerung** *(refusal)* in der **Vergangenheit** aus.

✻ d) When the Hoolihans lived in the country, they **would** go for a walk every evening.
   ..., gingen sie jeden Abend spazieren.

When Sandra was a little girl, she **would** dance when she heard music.
   ..., tanzte sie immer, wenn sie Musik hörte.

would drückt ein **typisches Verhalten** *(typical behaviour)* in der **Vergangenheit** aus.

91 Shall (vgl. Sprechabsichten: 98, 103)

1. **Shall I** do the shopping for you?
   Soll ich für dich einkaufen gehen?
2. **Shall we** switch to another channel?
3. Where **shall I** put the lamp?

In Fragen mit *I* oder *we* drückt *shall* ein **Angebot** *(offer)* (Beispiel 1), einen **Vorschlag** *(suggestion)* (Beispiel 2) oder eine **Bitte um Anweisung** *(request for instruction)* (Beispiel 3) aus.

▷ „sollen": S. 147–148; *will-future:* 164–167

92 Should/Ought to (vgl. Sprechabsichten: 98, 104, 106)

a) 1. You **shouldn't**/**oughtn't to** ring him up again.
      Du solltest ihn nicht noch einmal anrufen.
   2. You **should**/**ought to** take your umbrella. It's raining.
   3. We all **should**/**ought to** save more energy.
   4. Dave **should**/**ought to** be doing his homework now.
   5. Tom **should**/**ought to** have gone to that meeting.
      Tom hätte eigentlich zu diesem Treffen gehen müssen.

should/ought to drücken einen **Ratschlag** *(advice)* (Beispiele 1 und 2) oder eine **Verpflichtung** *(obligation)* (Beispiele 3–5) aus.

Modale Hilfsverben 55

b) Dale and Judy left half an hour ago. They **should/ought to** be home by now.
Sie müßten jetzt eigentlich ...

It's not far from here. It **shouldn't/oughtn't to** take long to get there.
Es dürfte eigentlich nicht lange dauern, ...

should/ought to drücken eine **Wahrscheinlichkeit** *(probability)* aus.

93 Must (vgl. Sprechabsichten: 97, 103, 104)

a) You **must** do your homework more carefully.
Passengers **must** show their passports to the passport officer.
In Britain, traffic **must** keep to the left.

must drückt einen **Zwang** *(strong obligation)* oder eine **Notwendigkeit** *(necessity)* aus.

b) Miss Edwards has been working all day. She **must** be tired now.
The letter is still here. She **must** have forgotten to take it with her.

must drückt eine **Schlußfolgerung** *(deduction)* aus.

c) You *simply* **must** see the historic building.
Du mußt dir das historische Gebäude einfach ansehen.

Dick *really* **must** invite Martha to his next party.
Dick sollte Martha wirklich zu seiner nächsten Party einladen.

must drückt einen **eindringlichen Vorschlag** oder **Ratschlag** *(urgent suggestion or advice)* aus. In dieser Verwendung wird es gewöhnlich durch *simply* oder *really* verstärkt.

94 Mustn't (vgl. Sprechabsichten: 100)

You **mustn't** smoke here.
Hier darf man nicht rauchen.

Cars **mustn't** be parked in front of the hospital.

mustn't drückt ein **Verbot** *(prohibition)* aus.

95 Needn't (vgl. Sprechabsichten: 97)

David **needn't** be so worried, he'll pass the exam, I'm sure.
David braucht nicht so besorgt zu sein; ...

needn't drückt das **Fehlen** eines **Zwangs** *(strong obligation)* oder einer **Notwendigkeit** *(necessity)* aus.

Sprechabsichten, die durch modale Hilfsverben und bedeutungsverwandte Verben ausgedrückt werden
(Speech intentions expressed by modals and related verbs)

96 Möglichkeiten, eine Fähigkeit oder Unfähigkeit auszudrücken
(Ways of expressing ability or inability)

a) Formen (Forms)

	Positive	Negative
Present tense	can am/are/is able to	can't am not/aren't/isn't able to
Past tense	could was/were able to	couldn't wasn't/weren't able to
Present perfect	have/has been able to	haven't/hasn't been able to
Will-future	will be able to	won't be able to

b) Verwendung (Use)

1. a) John **can** swim very well.
   John **kann** sehr gut schwimmen.

   b) Ed **can** drive a van.
   Ed **ist fähig**, einen Lieferwagen zu fahren.
   Oder:
   Ed **darf** einen Lieferwagen fahren.

   c) Ed **is able to** drive a van.
   Ed **ist fähig**, einen Lieferwagen zu fahren.

   d) He **can't** drive a lorry yet. He's taking driving lessons at the moment so he**'ll** soon **be able to** drive a lorry, too.

   Zum Ausdruck einer Fähigkeit wird im *present tense* in der Regel *can* gebraucht (Beispiel a). Da *can* aber mehrere Bedeutungen hat, könnten Mißverständnisse auftreten (Beispiel b). Soll die Bedeutung „fähig, in der Lage sein" unmißverständlich ausgedrückt werden, so ist *be able to* vorzuziehen (Beispiel c).

2. Janet **can** swim very fast for a twelve-year-old girl, **can't** she? –
   But at her age her mother **could** swim even faster.
   When Janet's mother was twelve, she **was able to** break the Junior Record.

   could ist die *past tense*-Form von *can*. In Aussagesätzen bezeichnet *could* nur eine Fähigkeit, die in der Vergangenheit vorhanden war. (Janets Mutter war im Alter von zwölf Jahren eine bessere Schwimmerin als ihre Tochter.) Soll jedoch ausgedrückt werden, was jemand einmal tun konnte und tatsächlich auch getan hat, so muß *was/were able to* gebraucht werden. (Janets Mutter ist es tatsächlich gelungen, im Alter von zwölf Jahren den Juniorenrekord zu brechen.)
   was/were able to ist immer dann richtig, wenn man statt dessen auch *managed to* verwenden kann.

Modale Hilfsverben: Sprechabsichten

3. **Could** Don repair his record-player**?** –
   No, he **couldn't**. That's why he's so disappointed.

   In Fragen und verneinten Sätzen kann *could* immer verwendet werden.

4. Mrs Willis **could see** how unhappy her daughter was.

   Bei Verben der Sinneswahrnehmung, wie *see*, *hear* usw. (vgl. 119), kann grundsätzlich *could* verwendet werden.

97 Möglichkeiten, einen Zwang oder eine Notwendigkeit auszudrücken (Ways of expressing strong obligation or necessity)

a) Formen (Forms)

	Positive	Negative
Present tense	**must** **have**/**has got to** **have**/**has to**	**needn't** **haven't**/**hasn't got to** **don't**/**doesn't have to**
Past tense	**had to**	**didn't have to**
Present perfect	**have**/**has had to**	**haven't**/**hasn't had to**
Will-future	**will have to**	**won't have to**

have to ist die übliche Form im amerikanischen Englisch. Im britischen Englisch sind *have got to* und *have to* üblich.

b) Verwendung (Use)

1. a) Religious education **must** be taught in all English schools.
   In allen englischen Schulen muß Religionsunterricht erteilt werden.
   Jerry **has** (**got**) **to** wear glasses when he's reading.
   The town council **had to** close that dangerous bridge.
   The Porters **will have to** move. They can't afford to pay the new rent.

   must/*have (got) to* drücken einen Zwang oder eine Notwendigkeit aus.

   b) You **needn't** go shopping today. Clare will go.
   Du brauchst heute nicht einkaufen zu gehen.
   Mike **hasn't got to** go to bed yet. There's no school tomorrow.
   Susan **doesn't have to** feed the fish. They've been fed.
   We **didn't have to** open our luggage at the customs.

   needn't, *haven't got to* und *don't have to* drücken aus, daß jemand etwas nicht zu tun braucht, daß also kein Zwang oder keine Notwendigkeit besteht.

▲ 1. You **mustn't** do that.   = Du **darfst** das nicht tun.
   You **needn't** do that.   = Du **brauchst** das nicht zu tun.
2. We **didn't have to** hurry.   = Wir **brauchten** uns nicht zu beeilen.
   We **needn't have** hurried.   = Wir **hätten** uns **nicht** zu beeilen **brauchen**.

2. "Must" im Kontrast zu "have (got) to" ("Must" in contrast to "have [got] to")

a)
1a. Mother:	You **must** be back by ten o'clock, Karen.
1b. Karen to friend:	I**'ve got to** be back by ten o'clock. My mother told me so.
2a. Doctor:	Your husband **must** take this medicine twice a day, Mrs Field.
2b. Mrs Field to husband:	You**'ve got to** take this medicine twice a day, the doctor said.
3a. Official at museum:	Excuse me, sir, umbrellas **must** be left at the entrance.
3b. Notice at museum:	Umbrellas **must** be left at the entrance.
3c. Visitor to friend:	Umbrellas **have to** be left at the entrance. (That's what the official said./That's what the notice says.)

Sowohl *must* als auch *have (got) to* bedeuten „müssen", sie werden jedoch unterschiedlich gebraucht. Mit *must* übt der **Sprecher selbst** einen **Zwang** aus oder drückt aus, daß er selbst etwas für notwendig erachtet (Beispiele 1 a, 2 a und 3 a). Der Zwang kann ebenso von einem bestehenden Gebot ausgehen (Beispiel 3 b: ein Schild der Museumsverwaltung, die verfügt, daß Regenschirme am Eingang abzugeben sind).

have (got) to wird bevorzugt, wenn der **Sprecher** die **Anordnung** einer anderen Person oder den Inhalt eines Gebots lediglich **weitergeben** will (Beispiele 1 b, 2 b und 3 c).

b) (Sorry, Jeff, I *must* go now. I've promised to visit my father in hospital.)
Sally **has got to** go now. Her train leaves in ten minutes.
It's Jim's birthday on Friday so I **have to** write to him today.

have (got) to – nicht *must* – wird auch verwendet, wenn **Zwang** oder Notwendigkeit durch **äußere Umstände** bewirkt werden.

98 Möglichkeiten, Verpflichtungen, Anweisungen oder Befehle auszudrücken (Ways of expressing obligations, instructions or orders)

1. Be supposed to

a) Formen (Forms)

	Positive	Negative
Present tense	**am**/**are**/**is supposed to**	**am not**/**aren't**/**isn't supposed to**
Past tense	**was**/**were supposed to**	**wasn't**/**weren't supposed to**

b) Verwendung (Use)

1. A driver **is supposed to** report an accident.
   Ein Fahrer soll einen Unfall melden./Von einem Fahrer wird erwartet, daß ...

2. You**'re not supposed to** hit the ball twice. It's against the rules.
   Man darf den Ball nicht ...

3. We**'re supposed to** meet Jane at five. But we'll be late, I'm afraid.
   Wir sollen ... /Es ist vereinbart, daß wir ...
4. George **was supposed to** be back by midnight. But he missed the last train.
   George sollte ... /Es war vereinbart, daß George ...

Mit *supposed to* läßt sich ausdrücken, was jemand tun soll: Was man von jemandem erwartet, weil es seine **Pflicht** ist (Beispiel 1); weil etwas **durch Regeln festgelegt** (Beispiel 2) oder weil es **vereinbart** wurde (Beispiele 3 und 4).

2. Should(n't)/Ought to (oughtn't to)

1. Mark **should**/**ought to** write his application before it's too late.
   Mark sollte seine Bewerbung schreiben, bevor es zu spät ist.
2. Reading a comic? You **should**/**ought to** be doing your homework.
3. Sarah, it's late. You **shouldn't**/**oughtn't to** be still up.
4. You **should**/**ought to** have been here twenty minutes ago.
   Du hättest schon vor zwanzig Minuten hier sein sollen.

Mit *should/ought to* läßt sich ausdrücken, was jemand nach der **Meinung des Sprechers** tun sollte (Beispiele 1-3) oder hätte tun sollen (Beispiel 4).

3. Shall I ... ?/Shall we ... ?

Shall I ring up the police**?** (Do you want me to ring them up?)
Soll ich bei der Polizei anrufen?

When **shall we** meet you**?** (When do you want us to meet you?)

Fragen mit *Shall I ... ?/Shall we ... ?* werden verwendet, wenn man den Angesprochenen um eine **Anweisung bittet**.

4. Be to

a) Formen (Forms)

	Positive	Negative
Present tense	**am**/**are**/**is to**	**am not**/**aren't**/**isn't to**
Past tense	**was**/**were to**	**wasn't**/**weren't to**

b) Verwendung (Use)

The reporters **were to** wait until the two presidents had finished their talks.
Die Reporter mußten warten, ...

Mum says you **aren't to** wash the pullover in the washing machine.
   ... du sollst den Pullover nicht ...

What **am** I **to** do first**?** What did the boss say?
Was soll ich als erstes tun?

be to wird gebraucht, um eine Anweisung auszudrücken. In der Regel geht sie **nicht vom Sprecher** aus, sondern wird von ihm nur **weitergegeben**.

Fragen mit *be to* werden verwendet, wenn man sich beim Gesprächspartner nach den **Anweisungen** eines anderen **erkundigt**.

5. Will

1. You **will** be home by ten o'clock and that's that!
   Du bist um zehn Uhr daheim und damit basta!
2. Swimming caps **will** be worn in the pool at all times.
   Im Becken sind grundsätzlich immer Badekappen zu tragen.

Mit *will* lassen sich Befehle (Beispiel 1) oder Anordnungen (Beispiel 2) ausdrücken, die **ohne Widerspruch** zu befolgen sind.

99 Möglichkeiten, eine Erlaubnis auszudrücken (Ways of expressing permission)

1. Can/Be allowed to

a) Formen (Forms)

Present tense:	**can** **am/are/is allowed to**
Past tense:	**could** **was/were allowed to**
Present perfect:	**have/has been allowed to**
Will-future:	**will be allowed to**

b) Verwendung (Use)

1. You **can** leave early today if you like.
   Du **darfst** heute früher gehen, wenn du möchtest.
2. Ed **can** drive a van.
   Ed **darf** einen Lieferwagen fahren.
   Oder:
   Ed **ist fähig**, einen Lieferwagen zu fahren.
3. Ed **is allowed to** drive a van.
   Ed **darf** einen Lieferwagen fahren.
4. As the doctors had agreed, Tina **could** leave hospital two days ago.
   ..., **durfte** Tina ...
5. Before Mr Jason was ill, he **could** eat everything.
   ..., **durfte** er ...
   Oder:
   ..., **war** er **in der Lage**, ...
6. Before Mr Jason was ill, he **was allowed to** eat everything.
   ..., **durfte** er ...
7. Ed can't drive a lorry yet, because he isn't old enough. But when he's twenty-one, he**'ll be allowed to** drive a lorry.

Zum Ausdruck einer Erlaubnis wird im *present tense* in der Regel *can* (Beispiel 1), im *past tense could* (Beispiel 4) gebraucht. Da *can* (bzw. *could*) aber mehrere Bedeutungen hat, könnten Mißverständnisse auftreten (Beispiele 2 und 5). Soll die Bedeutung „dürfen" unmißverständlich ausgedrückt werden, so ist *be allowed to* vorzuziehen (Beispiele 3 und 6).

2. May

a) **May I** borrow your pen, please**?**
   Darf ich bitte mal ...?
   May we use our grammar books**?**
   Dürfen wir ...?

   Mit *May I ...?/May we ...?* kann um Erlaubnis gebeten werden. Bitten mit *may* sind höflicher als Bitten mit *can*.

b) Guests **may** use the hotel swimming-pool till 10 o'clock.

   may zum Ausdruck einer Erlaubnis findet sich vor allem im formellen Englisch.

100 Möglichkeiten, ein Verbot auszudrücken (Ways of expressing prohibition)

1. Can't/Be not allowed to

a) Formen (Forms)

Present tense:	**can't**
	am not/aren't/isn't allowed to
Past tense:	**couldn't**
	wasn't/weren't allowed to
Present perfect:	**haven't/hasn't been allowed to**
Will-future:	**won't be allowed to**

b) Verwendung (Use)

1. You **can't** put your bike against this wall.
   Du **darfst** dein Rad **nicht** an dieser Mauer abstellen.
2. Peter **can't** eat as much as he would like to.
   Peter **darf nicht** so viel essen, wie er gerne möchte.
   Oder:
   Peter **ist** einfach **nicht in der Lage**, so viel zu essen, wie er gerne möchte.
3. Peter **isn't allowed to** eat as much as he would like to.
   Peter **darf** nicht so viel essen, wie er gerne möchte.
4. The pupils **couldn't** leave the examination room early.
   ... **durften** nicht ...
5. Tina **couldn't** say what she wanted to.
   ... **durfte** nicht ...   Oder: ... **war nicht in der Lage** ...
6. Tina **wasn't allowed to** say what she wanted to.
   ... **durfte** nicht ...
7. Helen **hasn't been allowed to** go to a disco yet as she's only twelve.
   The Blairs **won't be allowed to** keep a pet in their new flat.

Zum Ausdruck eines Verbots wird im *present tense* in der Regel *can't* (Beispiel 1), im *past tense couldn't* (Beispiel 4) gebraucht. Da *can't* (bzw. *couldn't*) aber mehrere Bedeutungen hat, können Mißverständnisse auftreten (Beispiele 2 und 5). Soll die Bedeutung „nicht dürfen" unmißverständlich ausgedrückt werden, so ist *be not allowed to* vorzuziehen (Beispiele 3 und 6).

2. Mustn't/Be not to

You **mustn't** say things like that.
So etwas darfst du nicht sagen.

Didn't you hear what Peter said? You**'re not to** make so much noise!
                                Du sollst nicht soviel Lärm machen!

mustn't und *be not to* werden verwendet, um ein Verbot auszudrücken. Bei *mustn't* geht das Verbot gewöhnlich vom **Sprecher** aus. *be not to* wird häufig gebraucht, wenn das Verbot einer **anderen Person** wiedergegeben wird.

3. May not

1. May we go to the cliffs this afternoon? – No, you **may not**. Remember what happened last time?
2. Books from this shelf **may not** be taken home.

may not drückt als Antwort auf eine Frage mit *may* aus, daß man etwas nicht tun darf (Beispiel 1). *may not* findet sich vor allem im formellen Englisch, um ein Verbot auszudrücken (Beispiel 2).

101 Möglichkeiten, eine Bitte auszudrücken (Ways of expressing a request)

a) Formen (Forms)

    Can you …?
    Could you …?
    Couldn't you …?
    Will you …?
    Would you …?

b) Verwendung (Use)

Can you go to the chemist's for me today**?**
Kannst du heute für mich zur Apotheke gehen?

Will you pass me the salt, please**?**
Gibst du mir bitte das Salz?

Would you give the dog some food**?**
Würdest du dem Hund etwas Futter geben?

Could you explain the meaning of this word to us**?**
Könntest du uns die Bedeutung dieses Wortes erklären?

Listen, Jill. Mrs Green is ill. **Couldn't you** do the shopping for her**?**
                             Könntest du nicht für sie einkaufen gehen?

Wenn man eine Bitte äußern will, kann man *can*, *will*, *would*, *could* oder *couldn't* verwenden. *Would you* …? ist höflicher als *Will you* …?, *Could you* …? höflicher als *Can you* …?. Wie im Deutschen entscheidet die Art, wie man eine Bitte äußert, über den Grad ihrer Höflichkeit.

Modale Hilfsverben: Sprechabsichten

102 Möglichkeiten, ein Angebot oder eine Einladung auszudrücken
(Ways of expressing an offer or an invitation)

a) Formen (Forms)

Will you ...?
Would you ...?
Won't you ...?

b) Verwendung (Use)

1. **Will you** come to our class party next week, Miss Dean**?**
   Kommen Sie doch in der nächsten Woche zu unserer Klassenparty, Miss Dean!

2. **Would you** like to have another sandwich, Bob**?**
   Möchtest du noch ein Sandwich haben, Bob?

3. **Won't you** stay a little longer, Susan**?**
   Möchtest du nicht doch noch ein bißchen bleiben, Susan?

Wenn man etwas anbieten oder zu etwas einladen will, kann man *Will/Would/Won't you ...?* verwenden. *Won't you ...?* ist etwas drängender als *Will you ...?/Would you ...?*

103 Möglichkeiten, einen Vorschlag auszudrücken
(Ways of expressing a suggestion)

a) Formen (Forms)

Can't ...?
Couldn't ...?
Shall I ...?/Shall we ...?
(really, simply) **must**

b) Verwendung (Use)

Can't we go on an outing next weekend**?**
Könnten wir nächstes Wochenende nicht einen Ausflug machen?

Couldn't Marcia go by bus to the airport**?**
Könnte Marcia nicht mit dem Bus zum Flugplatz fahren?

Shall we spend our holidays in Italy this year**?**
Wie wäre es, wenn wir dieses Jahr unsere Ferien in Italien verbringen?

There's a photo exhibition in the department store this month.
You *really* **must** see it.
Du mußt sie dir wirklich ansehen.

Wenn man einen Vorschlag machen will, kann man *Can't ...?/Couldn't ...?* und *Shall I ...?/Shall we ...?* verwenden. Für einen besonders **nachdrücklichen** Vorschlag benutzt man *must*, das gewöhnlich durch *really* oder *simply* verstärkt wird.

104 Möglichkeiten, einen Ratschlag auszudrücken
(Ways of expressing advice)

a) Formen (Forms)

should/ought to
shouldn't/oughtn't to
(really, simply) **must**
had better (**not**)

b) Verwendung (Use)

1. It's cold outside. Judy **should**/**ought to** put on a warm coat.
   Judy sollte einen warmen Mantel anziehen.
2. Simon **shouldn't**/**oughtn't to** be so cheeky to his mother.
   Simon sollte nicht so frech zu seiner Mutter sein.
3. You *simply* **must** visit Jane at the hospital. She's so unhappy.
   Du mußt einfach Jane im Krankenhaus besuchen.
4. Helen is too fat. She**'d better** play some tennis, **hadn't** she?
   Es wäre besser, wenn sie ...
   And she**'d better not** eat so many biscuits.
   Und sie sollte lieber nicht ...
5. You **shouldn't**/**oughtn't to** have made such a terrible noise last night.

Wenn man jemandem einen Ratschlag geben will, kann man *should/ought to, must* oder *had better* verwenden.

must wird für einen besonders **nachdrücklichen** Ratschlag verwendet und gewöhnlich durch *really* oder *simply* verstärkt.

had better wird vor allem dann gebraucht, wenn unangenehme Folgen zu befürchten sind, falls dem Rat nicht gefolgt wird. Es kommt daher oft einer **Warnung** nahe.

▲ *had better* kann sich **nicht** auf die **Vergangenheit** beziehen. Statt dessen verwendet man *should/ought to* + Infinitiv Perfekt (Beispiel 5).

105 Modale Hilfsverben, die eine Möglichkeit ausdrücken
(Ways of expressing possibility)

a) Formen (Forms)

can
could
Couldn't ...?
may, **may not**
might, **mightn't**

b) Verwendung (Use)

I know that shop. You **can** get all kinds of things there.
Man kann dort alles mögliche kaufen.

This **could** be a song by the Beatles. It sounds like the Beatles, doesn't it?
Das kann/könnte ein Lied der Beatles sein.

Modale Hilfsverben: Sprechabsichten

Couldn't this picture be a Picasso? It looks like one, doesn't it?
Könnte dieses Bild nicht ein Picasso sein?
Nobody is answering the phone. They **may** be sitting in the garden.
Vielleicht sitzen sie im Garten.
Though the story is true, you **may not** believe it.
..., glaubst du sie mir vielleicht nicht.
Do you know what's for lunch? – Ask Pat. She **might** know.
Sie könnte es wissen.
Tom **mightn't** be at home. But let's try and ring him up anyway.
Tom ist vielleicht nicht zu Hause.

can und *could* sowie *couldn't* in einer Frage werden gebraucht, wenn man etwas für möglich hält, weil bestimmte **Anzeichen** dafür sprechen. Mit *may* und *might* drückt man aus, daß man etwas für möglich hält, auch wenn man gewisse **Zweifel** hat.

▲ In Entscheidungsfragen werden *may* und *might* in der Regel nicht gebraucht. Statt dessen benutzt man Umschreibungen, z. B. *Do you think...?* oder *Don't you think...?*

106 Möglichkeiten, eine Wahrscheinlichkeit auszudrücken (Ways of expressing probability)

a) Formen (Forms)

will
would
should/**ought to**
shouldn't/**oughtn't to**

b) Verwendung (Use)

1. Don't disturb him. He**'ll** be writing letters at this time.
Er wird jetzt wahrscheinlich Briefe schreiben.
There's somebody at the door. – That**'ll** be Eric, I expect.
Why don't you ask Tom? He**'ll** have read the article.
2. It's four o'clock. So he **should**/**ought to** be on his way home.
Er müßte/dürfte eigentlich ...
John **should** be playing next Saturday.
John müßte/dürfte wohl am nächsten Sonnabend spielen.
Jane posted the letter on Friday. So it **should** have arrived on Monday.
Er dürfte/müßte ... angekommen sein.
3. You've got a pain in your back? A new bed **would** solve your problem.
Ein neues Bett würde dein Problem beheben.
Too bad Tim was injured. With him in the team they **would** have won.

Mit *will* drückt der Sprecher aus, daß er etwas aus **bestimmten Gründen** für wahrscheinlich hält (Beispiele 1).
Mit *should/ought to* ist der Grad der Wahrscheinlichkeit **geringer** als bei *will* (Beispiele 2).
would drückt eine Wahrscheinlichkeit aus, die von der Erfüllung einer **Bedingung** abhängt (Beispiele 3).

Frageanhängsel (Question tags)

107 Wenn man in einem Gespräch die Zustimmung des Partners oder eine Bestätigung der eigenen Aussage erwartet, verwendet man häufig ein *question tag*. Im Deutschen sagt man etwa „..., nicht wahr?/nicht?/oder?/gell?", im Englischen dagegen gibt es keine einheitliche Form. Zur Bildung des *question tag* wird das erste Hilfsverb benutzt, sofern der Satz eines enthält. Sonst wird das *question tag* mit *do/does/did* gebildet.

Question tags, die zur Bestätigung einer Information dienen, werden immer mit fallender Intonation gesprochen.

a) Several workers **have lost** their jobs, **haven't** they?
Dad **can meet** Mum at the station, **can't** he?
You**'ll ask** Dave about the holidays, **won't** you?
I sometimes **get** the right answer, **don't** I?
Gopal's parents **came** from India, **didn't** they?
You**'ve got** a new pullover, **haven't** you?
That tourist **had** an American accent, **didn't** he?

Wenn der **Aussagesatz bejaht** ist, ist das **question tag verneint**.

▲ I**'m** really early this morning, **aren't** I?

b) I**'m not interrupting** you, **am** I?
Sally **can't finish** the work in time, **can** she?
We **won't have to wear** formal clothes, **will** we?
I **needn't explain** everything, **need** I?
Herb **doesn't talk** much, **does** he?
They **never close** the gate, **do** they?
There**'s nobody** outside, **is there**?

Wenn der **Aussagesatz verneint** ist, ist das **question tag bejaht**.

c) Terry **must** be told the truth, **mustn't** he?
We **mustn't** forget the tickets, **must** we?

Das *question tag* zu *must* heißt *mustn't*, das zu *mustn't* heißt *must*.

108 Auch wenn man in einem Gespräch eine Äußerung des Partners bezweifeln oder spöttisch darauf reagieren will, können *question tags* verwendet werden. Sie entsprechen etwa dem deutschen „Ach wirklich/tatsächlich?/Was du nicht sagst".

Solche *question tags* werden immer mit steigender Intonation gesprochen.

a) Bob claims he writes articles for the Times. – Oh, he **does**, **does** he?
I think the cat has eaten all the ice-cream. – Oh, it **has**, **has** it?

Wenn der **Aussagesatz bejaht** ist, ist auch das **question tag bejaht**.

b) I haven't drunk any alcohol for two years. – So, you **haven't**, **haven't** you?
I'm sure Fred never told us lies. – Oh, he **didn't**, **didn't** he?

Wenn der **Aussagesatz verneint** ist, ist auch das **question tag verneint**.

109 Kurzformen (Contracted forms)

I'm	= I am		I've	= I have
you're	= you are		you've	= you have
he's	= he is		he's	= he has
she's	= she is		she's	= she has
it's	= it is		it's	= it has
we're	= we are		we've	= we have
they're	= they are		they've	= they have

isn't	= is not		hasn't	= has not
aren't	= are not		haven't	= have not
wasn't	= was not		hadn't	= had not
weren't	= were not			

I'll	= I will		I'd	= I had	**oder** would
you'll	= you will		you'd	= you had	would
he'll	= he will		he'd	= he had	would
she'll	= she will		she'd	= she had	would
it'll	= it will		it'd	= it had	would
we'll	= we will		we'd	= we had	would
they'll	= they will		they'd	= they had	would

don't	= do not		wouldn't	= would not
doesn't	= does not		needn't	= need not
didn't	= did not		mustn't	= must not
can't	= cannot		mightn't	= might not
couldn't	= could not		oughtn't	= ought not
shan't	= shall not		shouldn't	= should not
won't	= will not			

here's	= here is		what's	= what is
there's	= there is		when's	= when is
that's	= that is		where's	= where is
			who's	= who is
let's	= let us		why's	= why is

Kurzformen werden vor allem in der Umgangssprache, also bei der Aufzeichnung von Gesprächen, Notizen, in Privatbriefen und anderen informellen Texten, verwendet.

Langformen werden im formellen Englisch, also in Geschäftsbriefen, offiziellen Berichten usw., bevorzugt.

▲
he's	= he is	**oder**	he has
she's	= she is		she has
it's	= it is		it has
who's	= who is		who has
I'd	= I had		I would

Das Vollverb (The main verb)

110 Formen und Tempora (Forms and tenses)

Im Englischen besitzt jedes Vollverb drei Formen:
Infinitiv — **Simple past** — **Partizip Perfekt**

Von diesen drei und den vom Infinitiv abgeleiteten Formen (3. Person Singular des *simple present* und *-ing form*) lassen sich, in Verbindung mit den Hilfsverben *be* und *have*, alle Tempora des Verbs und der Imperativ bilden, z. B.

write	▷	Write.	Imperativ: 111
		I/You/We/They write	*simple present:* 121
writes	▷	He/She/It writes	*simple present:* 112, 121
writing	▷	is/are writing	*present progressive:* 131–136
		was/were writing	*past progressive:* 148–151
		have/has been writing	*present perfect progressive:* 142–144
		had been writing	*past perfect progressive:* 154–155
wrote	▷	wrote	*simple past:* 145–147
written	▷	have/has written	*present perfect:* 137–141
		had written	*past perfect:* 152–153

▷ Möglichkeiten, ein künftiges Geschehen auszudrücken: 160–175

111 Der Imperativ (The imperative)

a) Father to Tom: **Hurry** up. I don't want to be late. (Singular)
Teacher to class: **Fill** in the missing words, please. (Plural)
Come in. **Have** a good time.

b) **Don't go** to that disco, Jill. (Singular)   **Don't waste** your time, you two. (Plural)
Don't worry. It's nothing serious.

c) **Do shut** the door. **Do be** quiet now.

Der bejahte Imperativ entspricht in der Form dem Infinitiv, der verneinte Imperativ wird durch Hinzufügen von *don't* gebildet.

Wie im Deutschen dient der Imperativ dazu, einen Befehl, eine Aufforderung, einen Wunsch usw. auszudrücken (Beispiele a). Der verneinte Imperativ wird vor allem verwendet, um ein Verbot, einen Rat usw. auszusprechen (Beispiele b). Mit Hilfe von *do* läßt sich einem Befehl größerer Nachdruck verleihen (Beispiele c).

▲ 1. Stop that terrible noise**!** Don't be so cheeky**!**
  Im Gegensatz zum Deutschen steht im Englischen nur dann ein Ausrufezeichen, wenn es sich wirklich um einen Ausruf handelt.

  2. **Come and see** us tomorrow.   **Try and write** more carefully.
  Go and fetch me a glass of water.   Versuche, sorgfältiger zu schreiben!
  Folgt auf die Imperative *go, come* oder *try* eine Infinitivfügung, so wird sie häufig mit *and* (anstelle von *to*) angeschlossen.

▷ *let's/don't let's:* 200; Indirekte Rede: 230

112 Die 3. Person Singular des simple present (The 3rd person singular of the simple present)

Alle Vollverben enden in der 3. Person Singular des *simple present* auf *-s*, das an den Infinitiv angefügt wird.

a) Besonderheiten bei der Schreibung (Points to note with the spelling)

Verben auf Zischlaute	Verben auf *-y*	
1. express – he expresses wish – he wishes catch – he catches fix – he fixes	2. hurry – he hurries carry – he carries fly – he flies	3. play – he plays enjoy – he enjoys buy – he buys

1. Verben, die auf Zischlaut *(-ss, -sh, -ch, -x)* enden, hängen *-es* an. 2. Verben auf Konsonant + *y* enden auf *-ies*. 3. Verben auf Vokal + *y* hängen nur *-s* an.

b) Besonderheiten bei der Aussprache (Points to note with the pronunciation)

[z]: reads, listens, breathes, sees, plays
[s]: sleeps, sits, takes, laughs
[ɪz]: uses, notices, washes, damages, watches

Man spricht [z] nach **stimmhaften Konsonanten** *(voiced sounds):* [b], [d], [g], [l], [m], [n], [ŋ], [v], [ð], nach **Vokalen** und **Diphthongen**;
[s] nach **stimmlosen Konsonanten** *(unvoiced sounds):* [p], [t], [k], [f];
[ɪz] nach **Zischlauten**: [z], [s], [ʃ], [dʒ], [tʃ].

▲ go [gəʊ] – he goes [gəʊz]; do [du:] – he does [dʌz]; say [seɪ] – he says [sez]

113 Die -ing form (The -ing form)

Von allen Vollverben läßt sich eine *-ing form* bilden (Infinitiv + *-ing*).

Besonderheiten bei der Schreibung (Points to note with the spelling)

Verben auf stummes *-e*	Verben auf *-ie*
1. come – coming change – changing	2. lie – lying die – dying

Verben auf einfachen Endkonsonanten

3. run – running sit – sitting forget – forgetting	4. refer – referring stir – stirring occur – occurring	5. cancel – cancelling (BE) – canceling (AE)	

1. Ein stummes *-e* des Infinitivs fällt bei der Bildung der *-ing form* weg.
2. Ein *-ie* des Infinitivs wird zu *y*, bevor *-ing* angefügt wird.
3. Ein einfacher Endkonsonant wird nach einfachem, kurzem und betontem Vokal verdoppelt (vgl. aber *looking* und *discovering*).
4. Infinitive auf betontes *-er, -ir, -ur* verdoppeln das *-r* (vgl. dagegen *offering*).
5. Infinitive auf *-el* verdoppeln das *l* nur im britischen Englisch.

114 Regelmäßige und unregelmäßige Verben (Regular and irregular verbs)

Nach der Bildungsweise des *simple past* und des Partizips Perfekt lassen sich die Verben in regelmäßige und unregelmäßige einteilen. Regelmäßige Verben bilden beide Formen auf *-ed*. Unregelmäßige Verben haben eigene Formen (vgl. die Liste auf S. 152–153).

	Infinitiv	Simple past	Partizip Perfekt
Regelmäßig	work	work**ed**	work**ed**
	play	play**ed**	play**ed**
Unregelmäßig	show	show**ed**	show**n**
	write	wr**ote**	wr**itten**
	put	**put**	**put**

115 Das simple past und Partizip Perfekt der regelmäßigen Verben (The simple past and past participle of the regular verbs)

Beim Anfügen von *-ed* an den Infinitiv ist auf einige Besonderheiten zu achten.

a) **Besonderheiten bei der Schreibung (Points to note with the spelling)**

Verben auf *-ee* und stummes *-e*	Verben auf *-y*			
1. agr**ee** – agr**eed**	2. ti**dy** – ti**died**		3. st**ay** – st**ayed**	
arr**ive** – arr**ived**	app**ly** – app**lied**		destr**oy** – destr**oyed**	
chang**e** – chang**ed**			enj**oy** – enj**oyed**	

Verdoppelung des Endkonsonanten					
4. sto**p** – sto**pp**ed	5. pref**er** – pref**err**ed		6. trav**el** – trav**ell**ed (BE)	
pla**n** – pla**nn**ed	st**ir** – st**irr**ed		– trav**el**ed (AE)	
	occ**ur** – occ**urr**ed			

1. Bei Infinitiven auf *-ee* und stummes *-e* wird nur *-d* angefügt.
2. Die Endung Konsonant + *y* wird zu Konsonant + *ied*.
3. Die Endung Vokal + *y* wird zu Vokal + *yed*.
4. Ein einfacher Endkonsonant wird nach kurzem, einfachem und betontem Vokal verdoppelt (vgl. dagegen *looked* und *developed*).
5. Infinitive auf betontes *-er*, *-ir* und *-ur* verdoppeln das *-r* (vgl. dagegen *offered*).
6. Infinitive auf *-el* verdoppeln das *l* nur im britischen Englisch.

b) **Besonderheiten bei der Aussprache (Points to note with the pronunciation)**

Nach stimmhaftem Laut *(voiced sound)*: [d]	Nach stimmlosem Laut *(unvoiced sound)*: [t]	Nach [d] und [t]: [ɪd]
smil**ed** [ld]	laugh**ed** [ft]	fold**ed** [dɪd]
climb**ed** [md]	ask**ed** [kt]	decid**ed** [dɪd]
clean**ed** [nd]	swopp**ed** [pt]	paint**ed** [tɪd]
breath**ed** [ðd]	notic**ed** [st]	visit**ed** [tɪd]
us**ed** [zd]	fix**ed** [kst]	
stay**ed** [eɪd]	wash**ed** [ʃt]	
answer**ed** [əd]	watch**ed** [tʃt]	

Das Vollverb

116 Die simple form und die progressive form (The simple form and the progressive form)

Grundsätzliches zur Bildung und Verwendung

Anders als im Deutschen gibt es von jedem englischen Tempus zwei Formen: eine *simple form* und eine *progressive form*. Die *progressive form* wird mit Hilfe von *be + -ing* gebildet, z.B.

Tempus	Simple form	Progressive form
Present tense	**write**(**s**)	**am**/**are**/**is writing**
Past tense	**wrote**	**was**/**were writing**
Present perfect	**have**/**has written**	**have**/**has been writing**

Die folgenden Beispiele zeigen die wichtigsten Unterschiede in der Verwendung dieser beiden Formen.

Simple form	Progressive form
1a. What **do** you **do** in your free time, Tom? – I **collect** stamps. (Tom ist Briefmarkensammler.)	1b. What **are** you **doing**, Tom? – I**'m checking** a bill. (Tom überprüft gerade eine Rechnung.)
2a. Mr Baker **works** at a chemical factory. (Mr Baker ist in einer Fabrik fest angestellt.)	2b. Jane Travers **is working** at McDonald's this term. (Jane Travers arbeitet nur eine begrenzte Zeit bei McDonald.)
3a. Pete **has painted** the old garden furniture. (Pete ist mit dem Streichen fertig.)	3b. Pete **has been painting** the old garden furniture since two o'clock. (Pete streicht noch an den Gartenmöbeln.)
Die *simple form* drückt aus, daß	Die *progressive form* drückt aus, daß
– jemand etwas regelmäßig (in seiner Freizeit, beruflich usw.) tut (1a).	– eine Handlung im Augenblick des Sprechens im Verlauf ist (1b).
– ein Vorgang von Dauer ist (2a).	– ein Vorgang vorübergehend andauert (2b).
– eine Handlung abgeschlossen bzw. ein „Ergebnis" erzielt wurde (3a).	– eine Handlung noch nicht abgeschlossen ist (3b).

Jedes Verb kann in der *simple form* verwendet werden. Ob es auch in der *progressive form* verwendet werden kann, hängt von seinem Inhalt ab. Bei Verben z.B., die Zustände ausdrücken, ist nur die *simple form* möglich.

▷ Tätigkeits- und Vorgangsverben: 117
▷ Zustandsverben: 118
▷ Verben der Sinneswahrnehmung: 119

Die Verwendung der simple form und der progressive form bei verschiedenen Verbgruppen (The use of the simple and progressive forms with different kinds of verbs)

117 Tätigkeits- und Vorgangsverben (Activity verbs)

a) 1. Bill **goes** to a comprehensive school.   Where **are** you **going**, Bill? To school?
   2. Jane **reads** almost anything.   Don't interrupt him. He**'s reading** a difficult article.
   3. Jeff **has written** five letters this morning.   Jeff **has been writing** letters since you left.
   4. It **rains** very little in that area.   Take your umbrella with you. It**'s raining**.
   5. It **snowed** all day.   They couldn't go by car because it **was snowing** heavily.

📖 *go*, *read*, *write*, *rain*, *snow* usw. gehören zu den Verben, die sowohl in der *simple form* als auch in der *progressive form* verwendet werden. Sie bilden die weitaus größte Gruppe. Diese Gruppe umfaßt vor allem Verben, die **Tätigkeiten** (Beispiele 1–3) und **Vorgänge** (Beispiele 4 und 5) ausdrücken.

b)
Tätigkeit	Zustand
Clare **is holding** a baby in her arms. ... hält ...	The dormitory **holds** twenty people. ... faßt ...
What **are** you **looking** at? ... schaust ... an?	Tom's bike **looks** like new again. ... sieht ... aus.
Tony **is measuring** his room. ... mißt ... aus.	It **measures** 16 square metres. ...mißt 16 m².
I**'m seeing** Pete tonight. Ich besuche ...	**Do** you **see** the building over there? Siehst du ...?
Mr Gardener **is seeing** to his car. ... kümmert sich um ...	**Do** you **see** what I mean? Verstehst du, ...?
Peter **is weighing** a letter. ... wiegt ... (ab).	This piece of meat **weighs** one pound. ... wiegt ein Pfund.

Eine Reihe von Verben kann sowohl eine Tätigkeit als auch einen Zustand ausdrükken. Als **Tätigkeitsverben** werden sie in **beiden Formen** verwendet, als **Zustandsverben** nur in der **simple form** (vgl. 118).

118 Verben, die üblicherweise nicht in der progressive form verwendet werden (Verbs not normally used in the progressive form)

Zustandsverben (State verbs)

a) Helen **is** a nurse at St. Peter's Hospital.
   The house **looks** really old.
   That bottle **contains** a dangerous drug.
   The single fare **costs** £ 20.
   Bill **has had** his car for years.
   His wife and two children **depend** on Mr Black.
   It **doesn't** really **matter**.

Zu dieser Gruppe gehören Verben, die z.B. ausdrücken,
- was jemand **ist** und wie etwas **beschaffen ist**: *be, look, seem, sound; consist, contain, cost*
- was jemand **besitzt**: *belong, have (got), own, possess.*

Andere Verben dieser Gruppe sind *depend* (abhängen, darauf ankommen), *matter* (wichtig sein), *mean* (bedeuten).

1. Von diesen Verben, die keine *progressive form* zulassen, kann kein sinnvoller Imperativ gebildet werden.

   Drückt aber *be* + Adjektiv ein **momentanes Verhalten** und keine dauernde Eigenschaft aus, so steht es in der *progressive form* und läßt einen sinnvollen Imperativ zu, z.B.
   Jim: Be careful, Mike.
   Mike: But I **am being careful**.

2. Während *have* in der Bedeutung „besitzen" keine *progressive form* zuläßt, werden Ausdrücke wie *have dinner/fun/a drink/a bath/a look/a party* usw. wie alle anderen Tätigkeitsverben verwendet (vgl. 176 c).

b) **Verben, die das Ergebnis einer geistigen Tätigkeit ausdrücken**
(Verbs expressing the result of a mental process)

I **think** that I **know** what you **mean**.
Their friends **know** that Helen and Kevin always **disagree** about money.
Sandra **knows** that Jane tells lies, but she still **believes** her.
How long **have** you **known** Tom?

Verben dieser Gruppe drücken aus, was jemand **annimmt, weiß, versteht, welchen Standpunkt er einnimmt** usw. Weitere Verben, die hierher gehören, sind *agree, doubt, feel* (der Meinung sein), *imagine, realize, remember, suppose, understand* usw.

Als Zustandsverb:	Aber als Tätigkeitsverb:
What **do** you **think** of it?	What **are** you **thinking** about?
Was hältst du davon?	Worüber denkst du nach?

c) **Verben, die eine gefühlsmäßige Einstellung ausdrücken**
(Verbs expressing an emotional state)

Susan **likes** her tea hot and strong.
They**'ve** always **hated** cold and rainy days.
I don't **mind** washing up but I **hate** drying up.
Who **wants** a second helping of soup?

In diese Gruppe gehören Verben, die ausdrücken, was jemand **mag, nicht mag, haßt, vorzieht, wünscht** usw. Wichtige Verben in dieser Gruppe sind *like, love, dislike, hate, mind, prefer, need, want.*

▷ Verben des „Sagens": 126

119 Verben der Sinneswahrnehmung (Verbs of perception)

Simple form	Progressive form
1. I (can) **hear** you very well.	–
2. Can't you/**Don't** you **see** that sign?	–
3. I (can) **smell** something burning. Da brennt etwas an. Ich rieche es.	6. Doris **is smelling** Don's flowers. … riecht an …
4. The rice **tastes** strongly of curry. … schmeckt … nach …	7. Latif **is tasting** the rice. … probiert …
5. I (can) **feel** a nail in my shoe. … spüre …	8. The doctor **is feeling** Alan's arm. … tastet … ab.

Als **Verben der Sinneswahrnehmung** werden *hear*, *see*, *smell*, *taste* und *feel* **nur** in der **simple form** verwendet (Beispiele 1–5).

smell, *taste* und *feel* können aber auch **Tätigkeitsverben** sein und daher in der **progressive form** verwendet werden (Beispiele 6–8).

120 Zeit und Tempus (Time and tense)

Wörter wie *simple present*, *simple past*, *present perfect* usw. sind grammatische Begriffe, die sich in der Wirklichkeit auf verschiedene Zeiträume oder Zeitpunkte beziehen können. Dies gilt z.B. für das *simple present*:

Wirklichkeitsbezogene Zeit

Vergangenheit	Gegenwart	Zukunft
	⊗	
◀ ⊗ ⊗ ⊗	⊗ ⊗ ⊗	⊗ ⊗ ▶
◀〜〜〜〜〜〜〜〜〜〜〜▶		
		⊗
	○ jetzt	

Grammatische Zeit (Tempus)

I **wish** you a pleasant journey.

He **gets up** at seven every morning.

She **likes** ice-cream.

The next train for Dover **leaves** at 18.20.

⊗ = Einzelhandlung   〜 = Zustand   ◀▶ = an Anfang oder Ende ist nicht gedacht

Die simple form und die progressive form in verschiedenen Tempora (The simple and progressive forms in different tenses)

121 Simple present

Aussagesatz:	Mr Davis **works** in a car factory in Birmingham, his wife **works** part time in an office.
Verneinter Satz:	Mrs Davis **doesn't earn** as much as her husband.
Fragesatz:	**Do** you still **walk** to work? **When do** you **do** your homework? **Who does** Jeff **ask** for advice when he's in trouble? **Who looks** after Mr Dean's dog when he's on holiday?

Das Vollverb

Das *simple present* entspricht außer in der 3. Person Singular dem Infinitiv. Die 3. Person fügt *-s* an den Infinitiv an. Die Verneinung wird mit *don't/doesn't* + Infinitiv gebildet. Fragen werden mit *do/don't/does/doesn't* + Infinitiv gebildet. Fragen nach dem Subjekt werden nicht umschrieben.

▷ Schreibung und Aussprache der 3. Person Singular des *simple present:* 112

**Die Verwendung des simple present (The use of the simple present)
122–130**

122 In the summer Jill **gets up** at six, in the winter she usually **gets up** later.
You often **buy** your clothes at Abbot's, **don't** you?
Jane **reads** almost anything, she **doesn't read** comics though.
Tim never **comes** home in time for dinner.

Das *simple present* wird verwendet, um auszudrücken, was jemand **gewohnheitsmäßig**, **oft** oder **nie** tut. Sätze im *simple present* können Zeitbestimmungen wie *always, usually, often, sometimes, every (day/week/month), in the (mornings), never* usw. enthalten.

▷ Wiederholte Handlungen innerhalb eines begrenzten Zeitraums: 134

123 1. Bobby Smith **writes** sports articles for the local paper.
2. Little Johnny **goes** to an elementary school. His mother **teaches** at the university.
3. Paul's brother **collects** cigarette packets from all over the world.
4. Your sister **plays** the piano very well.
5. Tom's father **speaks** three foreign languages.

Mit dem *simple present* wird ausgedrückt, was jemand **beruflich** bzw. in seiner **Freizeit** tut (Beispiele 1–3), ferner, welche **Fähigkeiten** jemand besitzt (Beispiele 4–5).

124 Georgia **lies** north of Florida.
Manfred's father **lives** in England.
Margaret **belongs** to an anti-pollution club.
The bottle **contains** five litres.
You **like** Walt Disney films, **don't** you?

Das *simple present* drückt **Dauerzustände** aus (vgl. 116 und 118).

▲ Where **do** you **come** from?   (Frage nach der Herkunft oder dem ständigen Wohnsitz)
Where **are** you **coming** from?   (Frage danach, woher jemand gerade kommt)

125 This newspaper article **deals** with the Harrisburg disaster.
What **happens** in the play?
The first paragraph **explains** what apartheid means.
What **does** John **say** in his letter?
Jackie Stewart **talks** about the dangers of racing in this interview.

Das *simple present* wird verwendet, um **über einen Text**, z. B. einen Brief, einen Zeitungsartikel, oder ein Theaterstück, einen Film usw. zu **sprechen**, wenn man also z. B. ausdrücken will, wovon etwas handelt, was mitgeteilt, betont oder diskutiert wird.

126 1. Tom **asks** everyone: "Can you all come on Saturday?"
2. Dave **answers**, "Yes, I can come."
3. Kate **says** she can't come.
4. I **apologize** for being late.
5. We **congratulate** you on your success.
6. I **promise** I'll bring back the book tomorrow.
7. I **agree** with you about the colour of the wallpaper – it's awful.

Das *simple present* wird bei **Verben des „Sagens"** verwendet, um Äußerungen in der direkten und indirekten Rede einzuleiten (Beispiele 1–3). Es wird ferner verwendet, um eine Entschuldigung, einen Glückwunsch, ein Versprechen, eine Zustimmung usw. auszusprechen (Beispiele 4–7).

127 What **do** I **do** next?
Where **do** the spoons **go**? – They **go** in the top drawer.
How **do** I **get** to the museum? – You **turn** left at the corner ...
Let me show you how to fill in this application. First you **write** your name, address and date of birth. Then you **put in** your nationality and **sign** your name at the bottom.

Das *simple present* wird verwendet, um **Anweisungen** oder **Auskünfte** zu erbitten oder zu geben. Es wird ferner verwendet, um zu **demonstrieren**, wie etwas gemacht wird.

128 The summer term **begins** on April 16th.
The new restaurant **opens** on May 1st.
The next ferry **leaves** at 3 o'clock.
When **do** we **get** to Rome? – We **arrive** on Sunday at 10 o'clock.
England **plays** Germany next Friday.

Das *simple present* wird verwendet, wenn man ausdrücken will, daß ein **zukünftiges Geschehen durch Fahrplan, Programm** usw. bereits **festgelegt** ist. Es ist in dieser Verwendung häufig bei Verben wie *begin*, *end*, *open*, *close*, *leave* und *arrive*.

▷ *Present progressive* zum Ausdruck des für die Zukunft persönlich Vereinbarten: 135

129 *If* it **rains** tomorrow, we'll go to the cinema instead of the park.
Bob will ring up *when* he **gets** to the station.
What are you going to be *when* you **leave** school at eighteen?
I'll tell the children *as soon as* they **come**.
Don't forget to switch off the lights *before* you **go** to bed.
I'm afraid you'll have to wait *until* the bank **opens**.
Her sister will look after the children *while* Mrs Field **is** in hospital.

In **Gliedsätzen** mit *if*, *when*, *after*, *as soon as*, *before*, *till*, *until*, *while* drückt das *simple present* ein **zukünftiges Geschehen** aus, wenn sich der Zukunftsbezug aus dem Hauptsatz ergibt.

▲ When **will** you **see** him again?   (Hauptsatz: *will-future*)
When you **see** him,   (Gliedsatz: *simple present*)
he**'ll tell** you all about it.   (Hauptsatz: *will-future*)

Das Vollverb 77

✱130 1. **Here comes** your bus.
2. **Here** it **comes**.
3. **There goes** your last train.
4. **There** it **goes**.

In kurzen Sätzen der Umgangssprache mit Adverbien wie *here*, *there*, *off*, *on*, *down* usw. an der Satzspitze steht das *simple present*, obwohl damit Handlungen ausgedrückt werden, die im Verlauf sind. Die Adverbien sind in solchen Sätzen besonders betont.

▲ Beachte die Inversion, wenn das Subjekt ein Nomen ist (Beispiele 1 und 3).

Present progressive

131 Aussagesatz: **I'm listening** to the news now. Can you call me later?
Verneinter Satz: Terry **isn't reading** the newspaper – he's asleep.
Fragesatz: **Are** you **going** to the football match next Sunday?
What are you **doing** this afternoon?
Who's meeting the group at the station?

Das *present progressive* wird mit *am/are/is* + *-ing form* gebildet.

▷ Besonderheiten bei der Schreibung der *-ing form*: 113
▷ Verben, die üblicherweise nicht in der *progressive form* verwendet werden: 118

Die Verwendung des present progressive (The use of the present progressive) 132–136

132 Would you answer the phone, please? **I'm cooking** the dinner right now.
Mary is busy. She**'s doing** her homework at the moment.
Oh no! It**'s raining** and the clothes are outside on the line.
That girl can't be Kate. Kate **isn't wearing** a red skirt today.
Are you **enjoying** yourself? **Are** you **having** a good time?

Das *present progressive* wird verwendet, um auszudrücken, daß etwas **im Augenblick des Sprechens** oder Schreibens noch **nicht abgeschlossen**, d.h. noch im Verlauf (*in progress*) ist. Typische Zeitbestimmungen, die mit dem *present progressive* vorkommen, sind z.B. (*right*) *now* und *at the moment*.

133 (Pete and Judy in the street)   Pete: Hi, Judy. I can't stop to talk now.
                                              I'm decorating my room.
(Bob and Jill on the bus)   Bob: Finished your painting?
                                 Jill: No, **I'm** still **working** on it.
(Helen and Steve on the phone)   Helen: What **are** you **doing** right now?
                                 Steve: **I'm working** in the garden.

Das *present progressive* wird verwendet, um auszudrücken, daß eine **Handlung**, die **noch nicht abgeschlossen** ist, für kürzere oder längere Zeit **unterbrochen** wurde. Das heißt, sie ist im Augenblick des Sprechens oder Schreibens nicht im Verlauf.

134 Bill brings sandwiches every day, but *just for this week* he's eating in the snack bar.
Jane is walking to work *till the bus strike is over*.
While Mrs Jones is away, her sister is staying in her house.
Because of the bad weather all planes are arriving late *today*.

Das *present progressive* drückt aus, daß etwas **wiederholt** geschieht, aber nur **innerhalb eines begrenzten Zeitraums** (z. B. *just for this week*).

▲ Brian *usually* does the shopping. (gewohnheitsmäßig: *simple present*)
But he's ill, so I'm doing it *till he's well again*. (zeitweilig: *present progressive*)

▷ Handlungen, die gewohnheitsmäßig geschehen: 122

135 Sorry, I can't see you tonight. I'm taking Jane out. I've just invited her.
We're having a party on the 22nd. Are you doing anything special then?
Another drink perhaps? – No, thanks. Jack drove here but I'm driving home.
Sally is getting married next Saturday.
Mr Gold isn't worried about the new motorway. He's moving flats, anyway.

Das *present progressive* wird verwendet, um auszudrücken, daß etwas **Zukünftiges** konkret **geplant**, persönlich **vereinbart** oder **beschlossen** ist. Der Zukunftsbezug muß durch Zeitbestimmungen oder aus dem Zusammenhang deutlich werden.

▷ Zukünftige Handlungen, die durch Fahrplan usw. festgelegt sind *(simple present)*: 128
▷ Beabsichtigte zukünftige Handlungen *(going to-future)*: 162

136 Steve is *always* giving his girl-friend flowers.

Steve bringt seiner Freundin immer wieder einmal Blumen mit.

Jill is *always* ringing up Ruth at night.
Jill ruft Ruth dauernd nachts an. (Das geht Ruth auf die Nerven!)

Steve always gives his girl-friend flowers for her birthday.

Steve bringt seiner Freundin zu jedem Geburtstag Blumen mit.

Jill always rings up Ruth at night.
Jill ruft Ruth immer nachts an. (Jill hat tagsüber nie Zeit.)

Mit dem Adverb *always* drückt das *present progressive* aus, daß etwas **immer wieder**, jedoch **nicht regelmäßig** vorkommt. Hierbei muß das Adverb *always* betont werden. Häufig wird mit dieser Form eine Mißbilligung ausgedrückt.

Present perfect

137 Aussagesatz: The first guests have arrived.
Verneinter Satz: Shirley hasn't cleaned up yet. Everything is still a mess.
Fragesatz: Have you read this detective story? It's really exciting.
Where have you been? Your hair is very wet.
Who has helped you? Who have you talked to so far?

Das *present perfect* wird mit *have/has* + Partizip Perfekt gebildet.

▷ Besonderheiten bei der Schreibung und Aussprache der Partizipien auf *-ed*: 115
▷ Liste der Verben mit unregelmäßiger Partizip-Bildung: S. 152-153

Das Vollverb

Die Verwendung des present perfect (The use of the present perfect) 138–141

138
1. Andy **has cleaned** his moped. It looks like new.
2. I**'ve read** the paper. You can have it if you like.
3. Can I watch TV now? I**'ve finished** my homework.
4. The Greens **have gone** shopping, so there's nobody at home now.
5. You**'ve been** to France? If so, you'll know what French meals are like.
6. Martin **has driven** a ten-ton lorry. I'm sure he'll be able to drive a van.
7. I**'ve tasted** that new marmalade. It's really delicious.

Das *present perfect* wird verwendet, um auszudrücken, daß etwas **vor dem Zeitpunkt des Sprechens geschehen** oder nicht geschehen ist. Genauer Zeitpunkt und weitere Umstände sind unwichtig. Wichtig dagegen ist, daß jetzt ein **Ergebnis** vorliegt. Dieses Ergebnis kann „greifbar" sein (Beispiele 1–4) oder auch in einem Wissen oder einer Erfahrung bestehen (Beispiele 5–7).

▲ Das *present perfect* wird oft verwendet, um auszudrücken, daß aus dem jetzt vorliegenden Ergebnis **Folgerungen** gezogen werden können oder aufgrund des Ergebnisses **weitere Handlungen** möglich sind. Welche Folgerungen oder Handlungen dies sind, ergibt sich aus dem Zusammenhang, z.B.

Ergebnis	Mögliche Folgerungen aus dem Ergebnis
I**'ve read** the paper.	You can throw it away. Tom can have it if he likes. You needn't read it. I know now why Eric is so angry. We can go now.

139
Have you ever **written** a letter to a government official?
The "Garbage Collectors" **have given** three concerts in Bremen already, but "Big Bob and the Bullets" **haven't** even **given** one.
I**'ve** never **seen** Woody Allen on TV.
Bill **has** often **won** the 50 metres breaststroke.
Have you **taken** your medicine this morning?
Ted **hasn't mentioned** his girl-friend recently.
Barbara **has been** to the headmaster's office three times this week.
Ruth **has visited** Harry twice since he's been in hospital.
Petra **has sent** me a postcard every week since she's been in England.

Das *present perfect* wird verwendet, um auszudrücken, daß sich etwas **einmal**, **mehrmals** oder **nie vor dem Zeitpunkt des Sprechens** oder in einem **noch andauernden Zeitraum ereignet** hat. Solche Zeiträume werden beschrieben mit *today, this (morning/afternoon/week/month/year), so far, up till now, not yet, lately, recently* („in letzter Zeit"), Zeitbestimmungen mit *since* usw.

▲ (11.00 am) Mr Grant **has answered** five letters this morning. (Der Vormittag ist noch nicht zu Ende.)
(4.00 pm) Mr Grant **answered** five letters this morning. (Der Vormittag ist vorüber.)
(10.00 am) **Have** you **seen** John this morning? (Frage, ob John vormittags irgendwann gesehen wurde)
(10.00 am) **Did** you **see** John this morning? (Frage, ob John vormittags zu einer bestimmten Zeit oder an einem bestimmten Ort gesehen wurde)

140 Fiona **has** always **wanted** to visit the British Museum.
I've never **believed** that ridiculous story.
How long **have** you **known** that Derek had an accident?
Peter and Jane **have been married** for six years now.
Jim **has had** a cold since last week.
Since Margie has been here, she**'s been** ill.

Das *present perfect* wird bei **Zustandsverben** verwendet, um auszudrücken, daß etwas **in der Vergangenheit begonnen** hat und **jetzt noch andauert**. Häufige Zeitbestimmungen, mit denen man angibt oder danach fragt, wie lange ein Zustand schon andauert, sind *always*, *never*, *how long* und Zeitbestimmungen mit *since* und *for*.

▲ Beachte die deutschen Entsprechungen des *present perfect*:

I've always **liked** Monica.   **I've known** that for ages.
Ich **habe** Monica schon immer **gemocht**.   Ich **weiß** das schon seit langem.
How long **have** you **known** that?   Miss Maxwell **has had** a new car since June.
Wie lange **weißt** du das schon?   Miss Maxwell **hat** seit Juni einen neuen Wagen.

▷ Zustandsverben: 118
▷ *Present perfect progressive*: 143–144
▷ *since* und *for*: 159

141 There**'s been** a fire at the end of the street.
– Oh, really? When *did* you *notice* it?
– I *heard* the fire-engines about 4 o'clock this morning.

I've heard a very funny story about cows that give more milk when they hear cool jazz.
– Who *told* you that?
– Mr Burns, Kevin's Latin teacher.

Das *present perfect* wird benutzt, um ein **Gespräch** über ein in der **Vergangenheit** geschehenes Ereignis zu **beginnen**. Der **Zeitpunkt**, an dem das Ereignis geschah, darf aber **nicht genannt** werden. Weitere Angaben, z.B. wann und wie es geschah, was darauf folgte usw., stehen im *simple past*.

▷ *Present perfect* und *simple past* im Kontrast: 157

Present perfect progressive

142 Aussagesatz: She**'s been learning** English for six years now.
Verneinter Satz: Mike, you **haven't been listening** to me for the last ten minutes.
Fragesatz: **Has** the traffic **been moving** faster since the new motorway was built**?**
                 What **have** you **been worrying** about lately**?**
                 How long **have** you **been studying** languages**?**

Das *present perfect progressive* wird mit *have/has been* + *-ing form* gebildet.

▷ Besonderheiten bei der Schreibung der *-ing form*: 113
▷ Verben, die üblicherweise nicht in der *progressive form* verwendet werden: 118

Das Vollverb

Die Verwendung des present perfect progressive
(The use of the present perfect progressive)
143–144

143 My headache **has been getting** worse all day.
How long **has** that assistant **been working** in the food department?
Wake Lucy up. She**'s been sleeping** since 10 o'clock now.
Paul **has been trying** to ring you up since we came back.
It**'s been snowing** for two days now.

Das *present perfect progressive* wird verwendet, um auszudrücken, daß eine **Handlung** oder ein **Vorgang** in der **Vergangenheit begann** und in der **Gegenwart** (möglicherweise auch in der Zukunft) noch **andauert**. Häufige Zeitbestimmungen, mit denen man angibt oder danach fragt, wie lange eine Handlung schon andauert, sind *all (day), the whole (morning), how long* und Zeitbestimmungen mit *since* und *for*.

▲ 1. *Present perfect progressive* und *present perfect* im Kontrast:

Present perfect progressive:

What **have** you **been doing**? (Frage nach einer **Tätigkeit**)
– I**'ve been repairing** my bike. (Beantwortung dieser Frage)

Present perfect:

Haven't you **finished** yet? (Frage nach einem **Ergebnis**)
– No, I**'ve** just **put on** the lamp. (Beantwortung dieser Frage)

2. Beachte die deutschen Entsprechungen des *present perfect progressive:*

What **have** you **been doing** lately? We**'ve been discussing** that problem for ages.
Was **hast** du in letzter Zeit **gemacht**? Wir **diskutieren** dieses Problem seit Jahren.
Have you **been waiting** long? Ted **has been watching** TV since 7 o'clock.
Wartest du schon lange? Ted **sieht** seit 7 Uhr fern.

▷ *since* und *for:* 159

□ **144** Sorry about the mess. I**'ve been repairing** the washing machine.
(Ziel der Handlung: *repair the washing machine;* unbeabsichtigte Folge: *a mess*)
Your hair is all wet. – Well, I**'ve been swimming** in the river.
I'm afraid I can't go out tonight. My feet are aching. I**'ve been shopping** all afternoon.

Das *present perfect progressive* wird verwendet, wenn man ausdrücken will, daß eine **Handlung** in der **Vergangenheit** zu unbeabsichtigten **Folgen** in der **Gegenwart** geführt hat. (Der Zeitpunkt der Handlung liegt meist nicht sehr lange zurück.)

▲ *Present perfect progressive:*

What **have** you **been doing** to my knife? It looks like a saw. (Frage nach einer **Tätigkeit**, die erklären soll, warum das Messer jetzt wie eine Säge aussieht)
– Sorry. I**'ve been cutting** some wood. (Angabe der Tätigkeit, die zu der unbeabsichtigten **Folge** geführt hat)

Present perfect:

What **have** you **done** with my knife? (Frage nach einem **Ergebnis**)
– I**'ve put** it in the tool box. (Beantwortung dieser Frage)

▷ *Simple past, present perfect, present perfect progressive* im Kontrast: 158

Simple past

145 Aussagesatz: Sue **visited** England last year.
Verneinter Satz: She **didn't enjoy** the weather.
Fragesatz: **Did** she **go** by air or by ship?
Who did she **ask** for information?
Who went with her to the airport?

Das *simple past* der regelmäßigen Verben wird durch Anfügen von *-ed* an den Infinitiv gebildet. Unregelmäßige Verben haben meist eine eigene Form (vgl. die Liste auf S. 152–153). Die Verneinung wird mit *didn't* + Infinitiv gebildet. Fragen werden mit *did/didn't* + Infinitiv gebildet. Fragen nach dem Subjekt werden nicht umschrieben.

▷ Besonderheiten bei der Schreibung und Aussprache der *-ed form:* 115

Die Verwendung des simple past (The use of the simple past)
146–147

146 1. The first transatlantic flight **took place** *over fifty years ago.*
2. **Did** you **listen** to the news *at ten*? – No, I **wasn't** at home *at that time.*
3. Sue's father **died** *in 1975.*
4. They **left** for England *on Tuesday.*
5. How **did** you **like** the football match (*last night*)?
6. Your camera looks expensive. How much **did** you **pay** for it?
7. I like your new skirt. Where **did** you **buy** it?
8. Sorry. What **did** you **say**?
9. When **did** Sam first **meet** Pam? – When she **was** still at college.

Das *simple past* wird verwendet, um auszudrücken, wann etwas zu einem **bestimmten Zeitpunkt** der **Vergangenheit** oder in einem in der **Vergangenheit abgeschlossenen Zeitraum** geschah. Zeitpunkt oder Zeitspanne können genannt sein (Beispiele 1–4) oder aus dem Zusammenhang hervorgehen (Beispiele 5–8). Das *simple past* steht ferner in **Fragen** mit *when* nach einem in der **Vergangenheit** geschehenen Vorgang (Beispiel 9).

Typische Zeitbestimmungen, mit denen das *simple past* benutzt wird, sind *at (six o'clock), (an hour) ago, yesterday, on (Monday), last (Monday/week/month), in (1970).*

▲ Im Deutschen werden die Vergangenheitszeiten anders als im Englischen gebraucht:
Ich **war** gestern im Kino.   } I **was** at the cinema yesterday.
Ich **bin** gestern im Kino **gewesen**.

▷ *Simple past/present perfect* in noch andauernden Zeiträumen wie *this week* usw: 157
▷ *Simple past/present perfect* bei Gesprächseröffnungen: 141
▷ *used to* zum Ausdruck früherer Gewohnheiten und Zustände: 156

147 Dr Cohen **looked** at Tim's throat, **took** his temperature, and **sent** him to bed at once.

Das *simple past* wird verwendet, um auszudrücken, daß **mehrere Handlungen** in der **Vergangenheit aufeinander folgten**. Deshalb erscheint es häufig in Erzählungen und Berichten über vergangenes Geschehen (vgl. 150 und 153).

▷ *Simple past, present perfect, present perfect progressive* im Kontrast: 158

Past progressive

148 Aussagesatz: At 8 o'clock we **were** still **waiting** for Sue.
Verneinter Satz: The man had a look at the dog. The poor thing **wasn't moving**.
Fragesatz: **Were** your parents **sleeping** when you came home**?**
Who was driving when the accident happened**?**
Who were you **talking** to when I saw you in the High Street**?**

Das *past progressive* wird mit *was/were* + *-ing form* gebildet.

▷ Besonderheiten bei der Schreibung der *-ing form:* 113
▷ Verben, die üblicherweise nicht in der *progressive form* verwendet werden: 118

Die Verwendung des past progressive (The use of the past progressive) 149–151

149 At five in the morning Harry **was** already **getting** ready for the trip.
When Jim arrived at the cinema, his friends **were** just **getting** off the bus.
Christine **was talking** to her new boy-friend when Andy came in.
Larry had a terrible accident while he **was skiing** in the Alps.
A detective entered the flat by force. The woman **was lying** on a sofa.
Was she still **breathing**?
I woke up because the telephone **was ringing**.

Das *past progressive* wird verwendet, um mitzuteilen, daß eine **Handlung** zu einem **bestimmten Zeitpunkt** in der **Vergangenheit im Verlauf** *(in progress)* war.

▲ 1. When Sarah opened the door,   2. When Sarah opened the door,
    her dog **was barking**.   her dog **barked**.
    |——————————————| |——————————————|
             PAST   PAST

In Beispiel 1 *(past progressive)* bellte der Hund bereits, als Sarah die Tür öffnete.
In Beispiel 2 *(simple past)* begann er erst zu bellen, als Sarah die Tür öffnete.

☐ **150** 1. It was a terrible night. A strong wind **was blowing**. Mr and Mrs Fox **were sitting** at the fire-place. Suddenly the door opened.
2. The man the police arrested **was wearing** a blue coat.

Das *past progressive* dient zur Wiedergabe von **beschreibenden Teilen** in **Erzählungen** oder **Berichten**, etwa zur Beschreibung von Hintergrundhandlungen (Beispiel 1) oder Begleitumständen (Beispiel 2).

151 Steve **was writing** a report for his boss all Sunday evening.
We **were wrapping** presents and **writing** cards from 7 till 9.
What **were** you **doing** between 7 and 8 last night?

Das *past progressive* wird verwendet, um auszudrücken, daß eine Handlung einen **ganzen Zeitraum** in der **Vergangenheit ausgefüllt** hat.

▲ 1. *Past progressive:* The decorator **was stripping off** old wallpaper from 6 to 8 last night.
2. *Simple past*: The decorator **stripped off** old wallpaper from 6 to 8 last night.

Beispiel 1 drückt aus, daß die Zeit von 6 bis 8 mit dem Abreißen der Tapete ausgefüllt war. Wann die Arbeit begonnen oder beendet wurde, ist dabei unwichtig. In Beispiel 2 wird ausgedrückt, daß das Abreißen genau zwei Stunden gedauert hat, und zwar von 6 bis 8.

Past perfect

152 Aussagesatz: I didn't watch that programme because I**'d watched** it before.
Verneinter Satz: When the first part of the concert was over, Tim still **hadn't arrived**.
Fragesatz: **Who had** they **asked** for advice before they climbed the mountain**?**

Das *past perfect* wird mit *had* + Partizip Perfekt gebildet.

▷ Besonderheiten bei der Schreibung und Aussprache der Partizipien auf *-ed:* 115
▷ Liste der Verben mit unregelmäßiger Partizip-Bildung: S. 152–153

Die Verwendung des past perfect (The use of the past perfect)

153 1. When the guests arrived, Karen **had laid** the table.
2. Alan was late for school because he**'d missed** the bus.
3. That was the house Liz **had seen** from the train three years before.
4. Tom said he**'d** only **decided** to come the previous night.
5. When we met Jill, her father **had been** dead for two days.
6. Mrs Cox **had had** that letter for a week before she went to the police.
7. Bobby and Rachel **hadn't known** each other for a long time when they got married.

Das *past perfect* wird verwendet, wenn ausgedrückt werden soll, daß zwei Handlungen in der Vergangenheit aufeinander folgten. Die **Handlung, die zeitlich vorangeht**, steht im *past perfect* (Beispiele 1–4). Es wird ferner verwendet, um auszudrücken, daß ein **Zustand vor einem Zeitpunkt** der **Vergangenheit begann** und zu diesem Zeitpunkt noch **andauerte** (Beispiele 5–7).

▲ a)

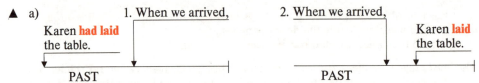

In Beispiel 1 *(past perfect)* hatte Karen bereits den Tisch gedeckt, als wir kamen.
In Beispiel 2 *(simple past)* deckte sie erst nach unserer Ankunft den Tisch.

b) When Jack **had noticed**/When Jack **noticed** the police, he ran away.

In *when*-Sätzen kann anstelle des *past perfect* auch das *simple past* stehen, wenn das zeitliche Verhältnis der beiden Handlungen aus dem Zusammenhang deutlich wird, die Reihenfolge der Handlungen also ganz klar ist.

Das Vollverb

☐ Past perfect progressive

154 Aussagesatz: We**'d been walking** for ten minutes when it began to rain.
Verneinter Satz: The fans **hadn't been throwing** bottles before the police arrived.
Fragesatz: **How long had** you **been sitting** in the tent before you decided to leave**?**

Das *past perfect progressive* wird mit *had been + -ing form* gebildet.

▷ Besonderheiten bei der Schreibung der *-ing form:* 113
▷ Verben, die üblicherweise nicht in der *progressive form* verwendet werden: 118

**Die Verwendung des past perfect progressive
(The use of the past perfect progressive)**

155 We**'d been discussing** the problem for hours when Tim made a helpful suggestion.
The two **had been meeting** regularly for 3 years when Chris moved to another town.

Mit dem *past perfect progressive* wird ausgedrückt, daß eine **Handlung vor einem Zeitpunkt** der **Vergangenheit begonnen** hatte und zu diesem Zeitpunkt noch **andauerte**.

▲ 1. *Past perfect progressive:* Mr Miller was very tired because he**'d been correcting** tests for four hours.
2. *Past perfect:* When his wife called him to supper, he**'d corrected** 20 tests.

In Beispiel 1 wird die **Tätigkeit** (das Korrigieren von Arbeiten), in Beispiel 2 das **Ergebnis einer Tätigkeit** (20 korrigierte Arbeiten) ausgedrückt.

156 Used to + Infinitiv

Paul **used to smoke**, didn't he? – Yes, but he's given it up.
Paul hat doch früher geraucht, nicht wahr?
What's wrong with you? You **didn't use to be** like that.
Was ist denn los mit dir? Du warst doch sonst nicht so.
Didn't there **use to be** an old pub in that street**?**
War da nicht früher mal ein altes Gasthaus in dieser Straße?

used to, *did use to* und *didn't use to* sind *past tense*-Formen. Davon „abgeleitete" Präsens- oder Futurformen gibt es nicht.

used to + Infinitiv wird verwendet, wenn man ausdrücken will, daß eine in der **Vergangenheit** bestehende **Gewohnheit** oder ein **Zustand nicht mehr existieren**.

▲ 1. What **does** Mr Griggs **do**? – He **teaches** chemistry.
Für die Beschreibung eines in der **Gegenwart** noch bestehenden **Zustands** oder einer **Gewohnheit** wird das *simple present* gebraucht (vgl. 122–124).
2. *used to do* darf nicht mit *be/get used to doing* verwechselt werden:
Linda **used to work** as a secretary, but now she's a social worker.
Linda **arbeitete früher** als Sekretärin, aber heute ist sie Sozialarbeiterin.
A lot of Indians couldn't **get used to living** in a big city.
Viele Indianer konnten **sich** an das Leben in einer Großstadt nicht **gewöhnen**.

157 Present perfect und simple past im Kontrast (Present perfect and simple past in contrast)

Present perfect	Simple past
1. **I've read** this article and I find it quite interesting.	6. I **read** this article *two days ago/last week*.
2. **Have** you *ever* **seen** the Queen? – Yes, **I've** *often* **seen** her.	7. *When* **did** you first **see** her? – When I **was** five.
3. **Have** you **seen** Paul *this week*? – No, I **haven't**.	8. **Did** you see Eric *this week*? – No, he **didn't come** to the club on Wednesday.
4. **I've known** Jane *for* two years. Ich kenne Jane schon zwei Jahre.	9. Paul **worked** here *for* three years. Paul hat hier drei Jahre gearbeitet.
5. Mary has often visited her brother *since* he**'s been** in hospital. … seit er im Krankenhaus ist.	10. She hasn't seen him *since* he **left** hospital. … seit er das Krankenhaus verlassen hat.

Das *present perfect* wird verwendet,

1. um auszudrücken, daß etwas **vor dem Zeitpunkt des Sprechens** geschehen oder nicht geschehen ist. Eine genaue **Zeitangabe** darf **nicht genannt** werden. Das *present perfect* drückt aus, daß jetzt ein **Ergebnis** vorliegt.
▷ 138

2. um auszudrücken, daß sich etwas **einmal**, **mehrmals** oder **nie vor dem Zeitpunkt des Sprechens** ereignet hat.
▷ 139

3. um auszudrücken, daß etwas **irgendwann** oder **überhaupt** in einem **noch andauernden Zeitraum** geschehen ist.
▷ 139, ▲

4. um auszudrücken, daß in der **Vergangenheit** ein **Zustand begonnen** hat, der **jetzt noch andauert**.
▷ 140

5. um in temporalen Gliedsätzen mit *since* eine **Zeitspanne** anzugeben, die **bis zum Zeitpunkt des Sprechens** reicht.
▷ 159.2

Das *simple past* wird verwendet,

6. um auszudrücken, wann etwas zu einem **bestimmten Zeitpunkt** oder in einem in der **Vergangenheit abgeschlossenen Zeitraum** geschah. Zeitpunkt bzw. Zeitraum sind entweder genannt oder ergeben sich aus dem Zusammenhang.
▷ 146

7. wenn man mit *when* nach dem **genauen Zeitpunkt fragen** will, zu dem sich etwas ereignet hat.
▷ 146

8. um auszudrücken, daß etwas zu einer **bestimmten Zeit** oder an einem **bestimmten Ort** in einem **noch andauernden Zeitraum** geschehen ist.
▷ 139, ▲

9. um auszudrücken, **wie lange** ein **Zustand** in der **Vergangenheit gedauert** hat.
▷ 159.3

10. um in temporalen Gliedsätzen mit *since* einen **Zeitpunkt** in der **Vergangenheit** anzugeben.
▷ 159.2

Das Vollverb   87

158 Simple past, present perfect, present perfect progressive im Kontrast (Simple past, present perfect, present perfect progressive in contrast)

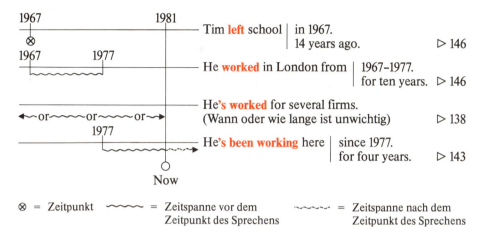

⊗ = Zeitpunkt   〰 = Zeitspanne vor dem Zeitpunkt des Sprechens   〰 = Zeitspanne nach dem Zeitpunkt des Sprechens

159 "Since" und "for" im Kontrast ("Since" and "for" in contrast)

1. I haven't seen Carol **since** *last Christmas.*
   Ich habe Carol seit Weihnachten nicht mehr gesehen.

   Carol has been working in another office **since** *January 1st.*
   Carol arbeitet seit dem 1. Januar in einem anderen Büro.

   since als **Präposition** steht mit Zeitangaben wie *(six) o'clock, yesterday, last (night), Christmas, January (1st)* usw. Sie bestimmen einen **Zeitpunkt** in der **Vergangenheit**, an dem etwas begann, was **zum Zeitpunkt des Sprechens noch andauert**. *since* als Präposition kann entweder mit dem *present perfect* oder mit dem *present perfect progressive* verbunden werden.

2. **Since** the exhibition **opened**, 1000 visitors have come to see it.
   Seit der Eröffnung der Ausstellung haben 1000 Gäste sie besucht.

   Since the exhibition **has been** open, 1000 visitors have come to see it.
   Seitdem die Ausstellung geöffnet ist, ...

   Wenn *since* als **Konjunktion** einen temporalen Gliedsatz einleitet, kann es mit dem *simple past* oder mit dem *present perfect* verbunden werden:

   since + *simple past*   bezeichnet einen **Zeitpunkt** in der **Vergangenheit**, zu dem eine andere Handlung begann, die zum Zeitpunkt des Sprechens noch andauert.

   since + *present perfect* drückt eine **Zeitspanne** eines Geschehens aus, das zum Zeitpunkt des Sprechens noch andauert.

▲ a) Während in einem mit *since* eingeleiteten Gliedsatz das *present perfect* oder das *simple past* stehen können, stehen im Hauptsatz immer das *present perfect* oder das *present perfect progressive*.

b) Since his death ...   Since he died ...
Seit seinem Tod ...   Seit er starb ...

since + Nomen und *since* + *simple past* bezeichnen beide einen Zeitpunkt in der Vergangenheit.

3. Kate has had her moped **for** *three years.*
Kate hat ihr Moped seit drei Jahren.
Pete's pen-friend was in Germany **for** *four weeks.*
Petes Brieffreund war vier Wochen in Deutschland.
Sandra is staying in Heidelberg **for** *another month.*
Sandra bleibt noch einen weiteren Monat in Heidelberg.

Die **Präposition** *for* wird mit **Zeitspannen** wie *(3) hours, (4) days, the past few (weeks)* usw. verbunden, um die **Dauer eines Zustands** oder einer Handlung auszudrücken.

Ob sich eine mit *for* gebildete Zeitbestimmung auf die Gegenwart, Vergangenheit oder Zukunft bezieht, hängt vom Tempus des Verbs ab.

▷ *Present perfect:* 138–141
▷ *Present perfect progressive:* 143–144
▷ *Past perfect:* 153
▷ *Past perfect progressive:* 155

Möglichkeiten, ein künftiges Geschehen auszudrücken (Ways of expressing future time)

▷ Unterschied zwischen Zeit und Tempus: 120

160 Im Englischen gibt es mehrere Möglichkeiten, ein künftiges Geschehen auszudrücken. Sie unterscheiden sich in ihrer Bedeutung:

Going to-future	– Absicht, in der Zukunft etwas zu tun	▷ 162
	– Wahrscheinlich eintretendes künftiges Geschehen	▷ 163
Will-future	– Künftiges Geschehen, das der Sprecher nicht beeinflussen kann	▷ 165
	– Vermutung über ein künftig eintretendes Ereignis	▷ 166
	– Spontaner Entschluß zum sofortigen oder künftigen Handeln	▷ 167
Simple present	– Künftiges Geschehen als Teil eines Fahrplans, Zeitplans, festgelegten Programms	▷ 128
	– Künftiges Geschehen in Gliedsätzen	▷ 129
Present progressive	– Durch Vereinbarung festgelegte oder fest beschlossene künftige Handlung	▷ 135
Future progressive	– Zu einem Zeitpunkt der Zukunft im Verlauf befindliche Handlung	▷ 171
	– Üblicherweise eintretendes Geschehen und Handlungen, die ohnehin ausgeführt werden	▷ 172
Future perfect	– Zu einem Zeitpunkt der Zukunft beendete Handlung	▷ 174

Das Vollverb

Weitere Möglichkeiten, ein künftiges Geschehen auszudrücken:

be to	– Zum Ausdruck einer festen Vereinbarung	▷ 175 a
be on the point of -ing, **be about to**	– Zum Ausdruck etwas unmittelbar Bevorstehenden	▷ 175 b
be certain to, **be sure to**, **be bound to**, **be (un)likely to**	– Zum Ausdruck, daß etwas sicher, wahrscheinlich oder wahrscheinlich nicht geschieht	▷ 175 c
be expected to, **be supposed to**	– Zum Ausdruck dessen, was von jemandem in der Zukunft erwartet wird	▷ 175 d

▲ **I'm going to meet** Jack at the station.
Ich **hole** Jack am Bahnhof ab. (Das ist meine Absicht.)
I'm meeting Jack at the station.
Ich **hole** Jack am Bahnhof ab. (Das ist eine Vereinbarung.)
Someone **will meet** Jack at the station.
Jemand **wird** Jack wohl am Bahnhof **abholen**. (Das ist eine Annahme.)

Im Deutschen drücken wir ein künftiges Geschehen häufig mit dem Präsens aus. Im Englischen dagegen müssen meist andere Sprachmittel verwendet werden.

Going to-future

161 Aussagesatz: **I'm going to** ask Sally for help.
Verneinter Satz: **I'm not going to** watch that boring programme again.
Fragesatz: **What are** you **going to** do this afternoon**?**
Who are you **going to** invite to your party**?**

Das *going to-future* wird mit *am/are/is* + *going to* + Infinitiv gebildet.

Die Verwendung des going to-future (The use of the going to-future) 162–163

162 I know there isn't any bread left. **I'm going to** buy some today.
Frank **is not going to** answer that silly letter.
Are you really **going to** put the children to bed so soon?

Das *going to-future* wird verwendet, um auszudrücken, was jemand in der **Zukunft** zu tun **beabsichtigt**.

▲ 1. **I'm going** (I'm going to go) to the swimming-pool tonight.
Are you **coming** (Are you going to come) with me?
Bei den Verben *go* und *come* verwendet man häufig statt des *going to-future* das *present progressive*.

2. Kate **is going to** join our club.　　Kate **wants** to join our club.
Kate wird in unseren Klub eintreten.　　Kate möchte gern unserem Klub beitreten.
Diese beiden Sätze bedeuten nicht dasselbe: *going to* drückt eine **Absicht**, *want* lediglich einen **Wunsch** aus.

▷ Kontrast *going to-future/will-future:* 167, ▲

163 I can smell something awful. **I'm going to** be sick.
Their best player is injured. So they**'re going to** lose on Saturday.
The new clerk in our office is late every day. The boss **isn't going to** be too pleased.
Sam's school report is very bad. His parents **are going to** be upset about it.

Das *going to-future* wird verwendet, wenn man ausdrücken will, daß sich etwas **mit Sicherheit** oder **großer Wahrscheinlichkeit ereignen wird**, weil bereits Anzeichen dafür vorhanden sind.

▲ She**'s going to have** a baby.   (Sicher eintretendes Ereignis)
She **wants to have** a baby.   (Wunsch)
One day she**'ll have** a baby of her own.   (Vermutung über künftiges Ereignis)

Will-future

164 Aussagesatz: John **will** be 17 next August.
The play is fantastic, I'm sure Alan **will** like it.
I've dropped my knife. – Don't worry, I**'ll** get you another.

Verneinter Satz: I'm afraid I **won't** be here tomorrow.

Fragesatz: **Will** we meet Jeff at the youth club**?**
Who**'ll** give me something to drink**?**

Das *will-future* wird mit *will* + Infinitiv gebildet.
Neben *I/we will* findet sich im formellen Englisch *I/we shall*.

▷ Kurzformen: 109

Die Verwendung des will-future (The use of the will-future)
165–167

165 The sun **will** rise at 5.30 tomorrow morning.
There**'ll** be a holiday on Monday.
Sooner or later the bank **will** discover the mistake.
Your passport **will** be checked before you go on board the plane.

Das *will-future* wird verwendet, um ein **künftiges Geschehen** auszudrücken, das der Sprecher **nicht beeinflussen** kann.

166 Herb wants to start his own business. It **won't** take him long to make money, I bet.
We're going to see "Romeo and Juliet" next Saturday. – We saw it last week. Fantastic. I'm sure you**'ll** enjoy it.
Fred is worried about his job. **Will** he be sacked? What do you think?
I wouldn't hide anything. I'm sure they**'ll** find it at the customs.
What **will** the world be like in the year 2000?

Das *will-future* wird verwendet, um eine **Vermutung** über ein **künftiges Geschehen** zu äußern.

Das Vollverb

167 1. John: I think I've got the flu.
        Mother: **I'll** ring up the doctor.
    2. Old lady: I can't put my suitcase on the rack.
        Passenger: **I'll** put it up for you./ **I'll** do it for you.
    3. Father: We haven't got any sugar.
        Mother: Mary **will** get some when she goes shopping tomorrow.
    4. Schoolboy: I don't know how to do this exercise.
        Friend: My brother **will** help you.

Das *will-future* wird verwendet, wenn man mit einem **spontanen Entschluß**, etwas zu tun (Beispiele 1 und 2) oder etwas zu veranlassen (Beispiele 3 und 4), reagieren will.

▲ Daughter: There isn't any milk left.
   Mother: 1. Oh, I didn't know. **I'll** go and get some from our neighbour.
             2. I know. There wasn't any last night. **I'm going to** get some this afternoon.

Mit *will* wird die **Absicht**, etwas zu tun, **spontan** geäußert (Beispiel 1). Mit *going to* wird mitgeteilt, daß die **Absicht**, etwas zu tun, **bereits bestanden** hat (Beispiel 2).

168 Simple present

▷ Zum Ausdruck eines künftigen Geschehens, das durch Fahrplan, Programm usw. festgelegt ist: 128

169 Present progressive

▷ Zum Ausdruck des für die Zukunft konkret Geplanten usw.: 135

Future progressive

170 Aussagesatz: This time tomorrow we**'ll be crossing** the Channel.
     Verneinter Satz: At ten o'clock Patrick **won't be having** breakfast.
     Fragesatz: **Will** you **be spending** your holidays in Italy as usual?

Das *future progressive* wird mit *will be* + *-ing form* gebildet.

▷ Verben, die üblicherweise nicht in der *progressive form* verwendet werden: 118

Die Verwendung des future progressive (The use of the future progressive) 171–172

171 We can't hold a meeting at 9 o'clock on Monday. **I'll be attending** a funeral then.
     The van is leaving the bank now. It**'ll be passing** the station in about ten minutes.
     This time next week I**'ll be lying** in the sun and **relaxing**.
     When Bob gets back to his reservation, his family **will** still **be living** in bad conditions.

Das *future progressive* wird verwendet, um auszudrücken, daß eine **Handlung** zu einem **künftigen Zeitpunkt im Verlauf** ist, also vor diesem Zeitpunkt begonnen hat und u.U. noch fortdauert.

▲ 1. When we get home, they'll be sleeping.
   2. When we get home, I'll ring up James.

   Now → FUTURE   Now → FUTURE

In Beispiel 1 *(future progressive)* schlafen sie bereits, ehe wir heimkommen.
In Beispiel 2 *(will-future)* erfolgt der Anruf nach dem Heimkommen.

172 1. Reg and Chris **will be staying** with Aunt Joan in the Easter holidays as usual.
2. I'**ll be seeing** Tom on the bus tomorrow. We usually go to work on the same bus. Do you want me to tell him anything?
3. Let me post this letter for you. On my way home I'**ll be passing** the post-office anyway.
4. **Will** you **be going** shopping today? If so, you could bring me some bread.

Das *future progressive* wird verwendet, um auszudrücken, daß etwas **geschehen wird**, weil dies so **üblich ist** (Beispiele 1 und 2). Es wird ferner verwendet, um auszudrücken, daß etwas **sowieso geschieht**, ohne besonders geplant zu sein (Beispiele 3 und 4).

▲ 1. **Will** you **go** shopping, please?
   Geh bitte für mich einkaufen.
2. **Will** you **be going** shopping today? If so, you could bring me some butter.
   Gehst du heute (sowieso) einkaufen? Wenn ja, dann könntest du mir Butter mitbringen.

Will you + Infinitiv wird oft verwendet, um eine Bitte auszudrücken (Beispiel 1, vgl. 101).
Will you be + *-ing form* fragt danach, ob jemand etwas sowieso tun wird, wenn nichts dazwischenkommt (Beispiel 2).

Future perfect

173 Aussagesatz: By the end of the month I'**ll have saved** £10.
Verneinter Satz: I'm sorry, I **won't have repaired** the watch by Friday.
Fragesatz: **Will** you **have checked** the battery when I come back?

Das *future perfect* wird mit *will have* + Partizip Perfekt gebildet.

▷ Bildung und Aussprache des Partizips Perfekt: 115

Die Verwendung des future perfect (The use of the future perfect)

174 Are you still writing? – Yes, but I'**ll have finished** in about 10 minutes.
Don't buy a new TV set before March. The prices **will have been reduced** by then.
But by that time everybody **will have heard** about the offer.
I hope George **will have warned** Dad about the car before we get home.

Das *future perfect* wird verwendet, um auszudrücken, daß etwas zu einem **bestimmten künftigen Zeitpunkt geschehen sein wird.** Dieser Zeitpunkt wird meist mit Zeitbestimmungen wie *in (5 minutes), next (year), by (Monday)* (bis spätestens ...) oder temporalen Gliedsätzen angegeben.

Das Vollverb

*175 Weitere Sprachmittel, mit denen ein künftiges Geschehen ausgedrückt werden kann (Other ways of expressing future time)

a) **be to**

The new piano **is to** be delivered on Monday.
Das neue Klavier wird am Montag geliefert.

The football team **is to** arrive at the playing-field at 10 o'clock.
Das Fußballteam trifft um 10 Uhr auf dem Sportplatz ein.

be to im *present tense* drückt aus, daß etwas für die **Zukunft fest vereinbart** wurde.

▲ The British Prime Minister **(is) to meet** German trade union leaders
Britischer Premierminister empfängt deutsche Gewerkschaftsführer
Germany **to sell** 1000 tons of butter to Russia – 400-year-old pub **to be** pulled down

In Zeitungsüberschriften findet sich häufig *to* + Infinitiv anstatt *be to* + Infinitiv.

b) **be on the point of + -ing form, be about to**

Herb **is on the point of** leav**ing**.
Herb **is about to** leave. } Herb ist im Begriff wegzugehen.

Beide Fügungen drücken im *present tense* aus, daß etwas **unmittelbar bevorsteht**.

c) **be certain to, be sure to, be bound to, be likely to, be unlikely to**

Helen **is certain to** do well in the exam.
Helen wird in der Prüfung bestimmt gut abschneiden.

It**'s sure to** rain.
Es gibt bestimmt Regen.

George **is bound to** cause an accident some day.
Ganz sicher wird George eines Tages einen Unfall verursachen.

David **is likely to** win the race.
David wird das Rennen wahrscheinlich gewinnen./Es ist wahrscheinlich, daß ...

Susan and Herb **are unlikely to** get married.
Wahrscheinlich werden Susan und Herb nicht heiraten./Es ist unwahrscheinlich, daß ...

Diese Fügungen drücken im *present tense* aus, daß es **sicher**, **wahrscheinlich** oder **unwahrscheinlich** ist, daß etwas **geschehen wird**.

d) **be expected to, be supposed to**

Many teams **are expected to** attend the championships.
Man erwartet, daß viele Mannschaften an den Meisterschaften teilnehmen werden.

We**'re supposed to** meet at 7 o'clock tomorrow morning.
Es ist vereinbart, daß wir uns morgen früh um 7 Uhr treffen.

be expected to und *be supposed to* drücken im *present tense* aus, was man von jemandem in der **Zukunft erwartet**. Der Zukunftsbezug muß durch Zeitbestimmungen oder aus dem Zusammenhang deutlich werden.

▷ *be supposed to:* 98.1

176 "Be", "do", "have" als Vollverben ("Be", "do", "have" as main verbs)

a) Be

▷ Formen: 81a

1. Rachel's father **is** a customs officer. He**'s** a very lovable person.
   This coat **isn't** mine. **Isn't** it John's**?**
   Capote's latest book **was** a big success, **wasn't** it**?**

   Das Vollverb *be* ist ein **Zustandsverb** und darf in der Regel nur in der *simple form* verwendet werden (vgl. 118a). Verneinung und Frage haben keine *do*-Umschreibung. *Question tags* werden mit der entsprechenden Form von *be* gebildet (vgl. 107).

2. There + be
   a. **There's** nobody at home.
      Es ist niemand zu Hause.
   b. **There are** still some problems we haven't solved yet.
      Es gibt noch immer einige Probleme, ...
   c. Peaches? Sorry, **there aren't** any left.
      ... es sind keine mehr übrig.
   d. Fortunately, **there weren't** any people in the office when the bomb exploded.
      ... waren keine Menschen ...
   e. **There was** a piano in the middle of the room.
      In der Mitte des Zimmers stand ein Klavier.
   f. **There were** some magazines on the floor.
      Auf dem Boden lagen ein paar Zeitschriften.

   Mit *there + be* wird ausgedrückt, daß etwas vorhanden ist. Diese Fügung entspricht manchmal dem deutschen „es gibt" (Beispiel b). Häufig jedoch wird sie mit „es ist, es sind, es waren" usw. wiedergegeben (Beispiele a, c, d). Oft zieht man im Deutschen „genauere" Verben wie „stehen" oder „liegen" vor (Beispiele e und f).

b) Do

▷ Formen: 81b

Some fresh air will **do** you good.
What **does** Tim's father **do** for a living**?**
Paul **doesn't** ever **do** what you tell him.
Pat **does** very well in English, **doesn't** she**?**
Kate isn't in, she**'s doing** the shopping.
What **did** you **do** when you heard the explosion**?**

do kann in der Bedeutung „tun, machen" wie jedes **Tätigkeitsverb** in der *simple form* und in der *progressive form* verwendet werden (vgl. 117). Verneinung und Frage in der *simple form* haben *do*-Umschreibung.

▲

	Hilfsverb		Vollverb			
What	do	you	do		in your free time?	Was tust du ...?
Why	don't	you	do		anything?	Warum tust du nichts?

Das Vollverb

c) **Have**

▷ Formen: 81c

1.a) The Johnsons **have (got)** a nice house.
   Have they **got** a garden, too**?** – No, they **haven't**.
   Oder:
   Do they **have** a garden, too**?** – No, they **don't**.
   Jane **hasn't got** a room of her own. She shares it with her sister.
   Oder:
   Jane **doesn't have** a room of her own.

b) Jane **had** a room of her own before they moved.
   Did Tom and Bill **have** rooms of their own, too**?** – No, they **didn't**.

   In der Bedeutung „haben, besitzen" werden im britischen Englisch *have* bzw. *have got* verwendet. In der Umgangssprache wird im *present tense have got* (stets **ohne** *do*-Umschreibung!) vorgezogen. Im amerikanischen Englisch wird häufig die Form *have* (stets **mit** *do*-Umschreibung!) verwendet (Beispiele a). In der Bedeutung „besitzen" läßt *have (got)* keine *progressive form* zu (vgl. 118a).
   Das *past tense* lautet *had*. Fragen (außer nach dem Subjekt) werden mit *did*, die Verneinung mit *didn't* umschrieben (Beispiele b).

2. She's going to **have a baby**.
   Sie erwartet/bekommt ein Kind.
   They **were having dinner** when we arrived.
   Sie aßen gerade, als wir ankamen.
   Didn't you **have lunch** with him the other day**?**
   Hast du nicht neulich mit ihm zu Mittag gegessen?
   When did you last **have a letter** from your cousin**?**
   Wann hast du zuletzt einen Brief von deinem Vetter bekommen?
   He **doesn't have a bath** on a cold morning.
   Er badet nicht, wenn es morgens kalt ist.

   have + Nomen ist eine häufige Fügung und entspricht oft einem einfachen Verb im Deutschen (z.B. *have breakfast* = „frühstücken"). In dieser Fügung wird *have* in Frage und Verneinung mit *do* umschrieben und wie die übrigen Tätigkeitsverben in der *simple form* und in der *progressive form* verwendet (vgl. 117).

   Weitere häufige Fügungen sind:

   have a break
   (Essens-)Pause machen

   have fun
   sich vergnügen

   have a look
   anschauen

   have a party
   eine Party geben

   have a good time
   (es) sich gutgehen lassen

177 Feste Verb-Adverb-Verbindungen (Phrasal verbs)

a) Bildung und Verwendung (Form and use)

	Verb + Adverb	
Joe	**filled in**	the questionnaire.
	Sit down	please, Mr Harding.
The boys	**were clearing up**	the mess.

Ein Verb, das mit einem Adverb fest verbunden ist, wird *phrasal verb* genannt. Manche Verben können mit mehreren Adverbien feste Verbindungen eingehen, z. B.

get ahead = vorankommen
get along = (miteinander) auskommen
get away = entkommen
get up = aufstehen

Phrasal verbs sind besonders in der Umgangssprache gebräuchlich. Im formellen Englisch werden manchmal andere Verben bevorzugt, z. B.

find out – *discover*
get away – *escape*
go on – *continue*
turn down – *refuse*
work out – *calculate*

b) Bedeutung (Meaning)

Manchmal ergibt sich die Bedeutung eines *phrasal verb* aus der Bedeutung seiner einzelnen Bestandteile, z. B.

give back = zurückgeben
go away = weggehen
stand up = aufstehen

Häufig besitzt das *phrasal verb* jedoch eine völlig neue Bedeutung, z. B.

look up (a word) = nachschlagen
run out (of food) = ausgehen, zu Ende gehen
speak up = lauter sprechen

Wie andere Verben können auch *phrasal verbs* oft mehr als eine Bedeutung haben, z. B.

Some of Bob's classmates **put up** a tent.
    … stellten … auf.
The company **put up** the prices.
    … erhöhte …
At Heathrow airport hundreds of planes **take off** every day.
    … starten …
As Carol had worked overtime, she was allowed to **take** a day **off**.
    … sich einen Tag freinehmen.
Would you like to **take off** your coat?
    … Ihren Mantel ablegen?

Das Vollverb

c) **Wortstellung (Word order)**

1. I **left** a word **out**.
   Oder:
   I **left out** a word.

   The teacher **tore** her old notes **up**.
   Oder:
   The teacher **tore up** her old notes.

   Have you **woken** Jill **up**?
   Oder:
   Have you **woken up** Jill?

   Viele *phrasal verbs* sind transitiv, das heißt, sie haben ein direktes Objekt nach sich. Ist das Objekt ein **Nomen** oder eine **kurze Nominalfügung**, kann es entweder zwischen Verb und Adverb stehen oder auf das Adverb folgen.

2. I **left** it **out**.
   The teacher **tore** them **up**.
   Have you **woken** her **up**?

   Ist das Objekt ein **Pronomen**, muß es zwischen Verb und Adverb stehen.

3. I **left out** a complete sentence and a number of words.
   The teacher **tore up** what she had written.

   Ist das Objekt eine **lange Nominalfügung** oder ein **Gliedsatz**, muß es auf das Adverb folgen.

178 Feste Verb-Adverb-Verbindungen und präpositionale Verben (Phrasal verbs and prepositional verbs)

1. Tom **thought about** Harry's advice. (*prepositional verb*)
2. I stood in the street and **looked up** the skyscraper. (*prepositional verb*)
   ... und blickte den Wolkenkratzer hinauf.
3. Mike fetched the telephone directory and **looked up** Mary's number. (*phrasal verb*)
   Oder: ... and **looked** Mary's number **up**. (*phrasal verb*)
   ... und schlug Marys Telefonnummer nach.

Verben können nicht nur mit Adverbien (*phrasal verbs*), sondern auch mit Präpositionen (*prepositional verbs*) feste Verbindungen eingehen (Beispiele 1 und 2). Da Wörter wie *up, down, on* sowohl Adverbien als auch Präpositionen sein können, werden *phrasal verbs* und *prepositional verbs* leicht miteinander verwechselt, obwohl sie unterschiedliche Bedeutungen haben (Beispiele 2 und 3).

Bei der Wortstellung ist folgendes zu beachten: Beim *prepositional verb* bleibt die **Präposition** stets mit dem **Verb verbunden** (Beispiele 1 und 2). Das wird besonders deutlich, wenn das Objekt ein Pronomen ist:

I stood in the street next to the skyscraper and **looked up** it. (*prepositional verb*)
Aber:
Not knowing Sue's telephone number, Mike **looked** it **up** in a directory. (*phrasal verb*)

Das Passiv (The passive)

179 Aktiv und Passiv (Active and Passive)

a)

	Subjekt	Verb	Direktes Objekt	
1. Aktiv	The customs officer	stopped	a passenger.	
2. Passiv	The passenger	was asked	a lot of questions.	
3. Aktiv	The plane	carried	cargo	from Kenya.
4. Passiv	The cargo	was unloaded		quickly.

Ein Aktivsatz drückt aus, wer (Beispiel 1) oder was (Beispiel 3) eine Handlung ausführt. Ein Passivsatz hebt die Person (Beispiel 2) oder die Sache (Beispiel 4) hervor, mit der etwas geschieht.

b) The world's first electronic computer **was designed** at the University of Pennsylvania. Since then amazing progress **has been made** in this field.

Man bevorzugt im Englischen das Passiv, wenn unwichtig ist oder nicht gesagt werden soll, wer oder was eine Handlung ausführt.

180
1. The exhibition **was closed** at 5 o'clock.
   Die Ausstellung **wurde** um 5 Uhr geschlossen.
2. When the visitors arrived, the exhibition **was closed**.
   Als die Besucher eintrafen, **war** die Ausstellung geschlossen.

Das Passiv kann sowohl einen Vorgang als auch einen Zustand ausdrücken. Drückt es einen **Vorgang** aus (Beispiel 1), so verwendet man im Deutschen eine Form des Hilfsverbs „werden" („Vorgangspassiv"). Drückt es einen **Zustand** aus (Beispiel 2), so verwendet man im Deutschen eine Form des Hilfsverbs „sein" („Zustandspassiv").

181 Die Formen des Passivs (The forms of the passive)

a)

	Subjekt	Form von *be*	Partizip Perfekt	
Simple present	Rolls-Royce cars	are	made	in England.
Present progressive	The motorway	is being	built	at the moment.
Simple past	The boat	was	destroyed	in the storm.
Past progressive	The immigrant	was being	questioned	about his family.
Present perfect	A snack	has been	served	in the kitchen.
Past perfect	Oil-slicks	had been	seen	near the tanker.
Will-future	A meeting	will be	held	in the town hall.
Modals: *can, must,* etc.	Goods	can be	exchanged	here.
	Applications	must be	written	in block letters.

Das Passiv wird mit einer Form von *be* + Partizip Perfekt gebildet.

▲ **is** usually **held** = wird normalerweise abgehalten
   will be held = wird abgehalten (werden)

Das Passiv

b) David **was injured** when the factory exploded. His boss **got injured** as well.
Auch sein Chef wurde verletzt.

Drückt das Passiv einen **Vorgang** aus, kann in der Umgangssprache statt des Hilfsverbs *be* auch *get* verwendet werden.

182 Simple form und progressive form im Passiv (Simple and progressive forms in the passive)

1. The Spanish programme **is broadcast** every week.
   ... wird jede Woche gesendet.
2. The Spanish programme **is being broadcast** at the moment/next Monday.
   ... wird gerade/wird am nächsten Montag gesendet (werden).

Die Verwendung der *simple form* (Beispiel 1) und der *progressive form* (Beispiel 2) im Passiv entspricht der im Aktiv.

183 Passivsätze mit "by" (Passive sentences with "by")

1. Records are usually chosen **by a disc jockey**.
2. The population had been warned **by the weather forecast**.
3. The players were encouraged **by the crowd**.

Wenn in einem Passivsatz ausgedrückt werden soll, wer oder was eine Handlung ausführt, so wird der „Urheber" der Handlung mit *by* angeschlossen *(by a disc jockey, by the weather forecast, by the crowd)*.

184 Das Passiv mit verschiedenen Arten von Verben (The passive with different kinds of verbs)

a)

	Subjekt	Verb	Direktes Objekt	
1. Aktiv	The firm	**sold**	**the new model**	successfully.
Passiv	**The new model**	**was sold**		throughout the world.
2. Aktiv	They	**helped**	**the girl**/**me**	immediately.
Passiv	**The girl**/**I**	**was helped**		immediately.

Das Passiv läßt sich im Englischen von allen Verben bilden, die im Aktiv ein direktes Objekt nach sich haben (transitive Verben: Beispiel 1). Vielen deutschen Verben, die kein direktes Objekt nach sich haben (intransitive Verben), entsprechen im Englischen transitive Verben (Beispiel 2).

📖 Vergleiche: *help somebody* (transitiv) = jemandem helfen (intransitiv)
assist somebody (transitiv) = jemandem beistehen (intransitiv)
follow somebody (transitiv) = jemandem folgen (intransitiv)

▲ **The club members were thanked** for their contributions.
Den Klubmitgliedern wurde für ihre Beiträge gedankt./Es wurde den Klubmitgliedern für ihre Beiträge gedankt./Man dankte den Klubmitgliedern für ihre Beiträge.

b) **Verben mit zwei Objekten** (Verbs with two objects)

		Subjekt	Verb	Indirektes Objekt	Direktes Objekt
1.	Aktiv	They	have promised	the workers	better conditions.
	Passiv	The workers	have been promised		better conditions.
2.	Aktiv	They	gave	Sandra	the letter.
	Passiv	Sandra	was given		the letter.
		(The letter	was given	to Sandra).	

Bei Verben, die im Aktiv mit einem direkten und einem indirekten Objekt verbunden werden (z. B. *ask*, *give*, *offer*, *pay*, *promise*, *send*, *show*, *teach*, *tell*), wird im Englischen das **indirekte Objekt** als **Subjekt** des **Passivsatzes** bevorzugt. Im Deutschen ist nur eine Passivkonstruktion möglich, bei der das direkte Objekt des Aktivsatzes zum Subjekt des Passivsatzes gemacht wird: „Den Arbeitern sind bessere Bedingungen versprochen worden" (Beispiel 1). Statt dessen kann auch ein Aktivsatz mit „man" gewählt werden: „Man gab Sandra den Brief" (Beispiel 2).

c) Aktiv: The Bartons | **spoke about this problem** | again and again.
   Passiv: This problem | **was spoken about** | again and again.

Anders als im Deutschen kann im Englischen auch ein präpositionales Objekt *(about this problem)* zum Subjekt eines Passivsatzes werden. Diese Konstruktion ist aber nur bei Verben möglich, die mit einer Präposition fest verbunden sind. Dazu gehören etwa *ask for, pay for; speak about, talk about; laugh at; think of*.

▲ Auch im Passiv folgt die Präposition unmittelbar auf das Verb.

d) Aktiv: Somebody **took care of** the old man.
   Passiv: The old man **was taken care of**.

   Aktiv: People **made fun of** Mr Dupont's English accent.
   Passiv: Mr Dupont's English accent **was made fun of**.

Feste Fügungen von Verb + Nomen + Präposition werden in gleicher Weise gebraucht wie Verben, die mit einer Präposition fest verbunden sind (vgl. 184 c). Zu solchen Fügungen gehören etwa *pay attention to, make fun of, take care of, take notice of*.

185 Das Passiv bei den Verben "say", "think", "believe" usw.
(The passive with the verbs "say", "think", "believe", etc.)

1. It's said that Mr Dean is a millionaire.
2. **Mr Dean is said to be** a millionaire.

Von den Verben des Sagens und Denkens, z. B. *believe*, *consider*, *expect*, *know*, *report*, *say*, *suppose*, *think*, kann im Englischen neben einem „unpersönlichen Passiv" (Beispiel 1: *It's said*) auch ein „persönliches Passiv" (Beispiel 2: *Mr Dean is said*) gebildet werden. Dabei wird an die persönliche Passivkonstruktion ein Infinitiv mit *to* angeschlossen. Für die Wiedergabe im Deutschen gibt es mehrere Möglichkeiten, z. B. „Mr Dean soll (angeblich) Millionär sein" oder „Man glaubt/nimmt an/vermutet, daß Mr Dean Millionär sei" oder „Von Mr Dean heißt es, daß er Millionär sei".

Das Passiv

Weitere Beispiele:
A lot of people are believed to have lost their property during the hurricane.
Viele Leute sollen während des Hurrikans ihren Besitz verloren haben.
Tom Miller wasn't considered to be the best person for this job.
Man hielt Tom Miller nicht für den Mann, der für diese Arbeit am besten geeignet ist.
The pupils are expected to answer all the questions in the exam.
Man erwartet von den Schülern, daß sie alle Fragen in der Prüfung beantworten.
Harry Brown is known to have spent some years in prison.
Es ist bekannt, daß Harry Brown einige Jahre im Gefängnis gesessen hat.
The visitors are supposed to arrive before dinner.
Die Besucher werden, wie vereinbart, vor dem Essen eintreffen.

186 Das Gerundium im Passiv (The -ing form/gerund in the passive)

1. Uncle George enjoys **being told** a joke.
   Onkel George hat es gern, wenn man ihm einen Witz erzählt.
2. Arthur remembered **having been punished** when he was cheeky to his mother.
   Arthur erinnerte sich daran, daß er bestraft wurde, wenn er frech zu seiner Mutter war.

Vom Gerundium gibt es im Passiv eine Präsensform (Beispiel 1) und eine Perfektform (Beispiel 2). Die Verwendung des Gerundiums im Passiv unterscheidet sich nicht von der im Aktiv (vgl. 203).

187 Der Infinitiv des Passivs (The passive infinitive)

a) 1. In Germany, every citizen **must be registered** with the police.
   In Deutschland muß jeder Einwohner bei der Polizei gemeldet sein.
2. Mr Harding **ought to have been asked** much earlier.
   Mr Harding hätte viel früher gefragt werden müssen.

Vom Infinitiv gibt es im Passiv eine Präsensform (Beispiel 1) und eine Perfektform (Beispiel 2).

▷ Infinitiv des Passivs nach den Verben *be, leave, remain:* 189 c

b) Joe **wanted his record player (to be) repaired** by Monday.
   Joe wollte gern seinen Plattenspieler bis Montag reparieren lassen.
   Would you **like your luggage (to be) taken** to your room?
   Soll Ihr Gepäck auf Ihr Zimmer gebracht werden?

In der Fügung *want/would like* + Objekt + Infinitiv des Passivs wird *to be* häufig ausgelassen und nur das Partizip Perfekt verwendet.

Infinite Verbformen (Non-finite forms of the verb)

188 Finite und infinite Verbformen
(Finite and non-finite forms of the verb)

a) **Tom teaches** English, his **wife teaches** French. (3. Pers. Sing., *simple present*)
They taught in Africa for five years. (3. Pers. Pl., *simple past*)

Die **finiten** Formen des englischen Verbs sagen etwas über die **Person**, den **Numerus** und das **Tempus** aus.

b) It wasn't always easy **to teach** young Africans a foreign language. (Infinitiv)
But Tom liked **teaching** them. (Gerundium)
He and his wife made a lot of friends while **teaching** abroad. (Partizip Präsens)
In general, their pupils were interested in the subjects **taught**. (Partizip Perfekt)

Infinitiv, *-ing form* (Gerundium und Partizip Präsens) und Partizip Perfekt sind **infinite** Verbformen. Sie sind **unveränderbar** und sagen **nichts** über die Person, den Numerus und das Tempus aus.

Der Infinitiv (The infinitive)

189 a) Bob wants **to meet** the girl with the black hair again.
But unfortunately, he can't **remember** her name.

Es gibt zwei Arten von Infinitiven, den Infinitiv mit *to (infinitive with to)* und den Infinitiv ohne *to (infinitive without to)*.

b) 1. Frank ought **to paint** that nice old cupboard.
2. It ought **to be painted** carefully.
3. He ought **to have painted** it earlier.
4. It ought **to have been painted** years ago.

Vom Infinitiv gibt es die folgenden Formen:

Aktiv	Passiv
Präsensform: *(to) paint* (Beispiel 1)	*(to) be painted* (Beispiel 2)
Perfektform: *(to) have painted* (Beispiel 3)	*(to) have been painted* (Beispiel 4)

Mit der Perfektform wird Vorzeitigkeit ausgedrückt.

Linda must **be doing** her homework now.
Linda muß jetzt dabei sein, ihre Hausaufgaben zu machen.

Vom Infinitiv gibt es auch *progressive forms*. Die Präsensform wird mit *be + ing* gebildet.

Der Infinitiv

☐ c) The key **was** not **to be found**.
Der Schlüssel war nicht zu finden.
Much work still **remains to be done**.
Es bleibt noch viel zu tun.

This book **leaves** a lot **to be discussed**.
Dieses Buch läßt viele Fragen offen.

Abweichend vom Deutschen steht der passivische Infinitiv auch nach den Verben *be*, *leave* und *remain*.

▷ Infinitiv des Passivs: 187

190   1. Do you know what **to read**? (Objekt)
2. The problem is **to find** his address. (prädikative Ergänzung)
3. Don was the only boy **to arrive** in time. (Attribut)
4. Your father didn't say that (in order) **to hurt** you. (adverbiale Bestimmung)

Da der Infinitiv teils Eigenschaften eines Verbs, teils die eines Nomens besitzt, kann er unterschiedliche Funktionen im Satz erfüllen.

Der Infinitiv mit "to" (The infinitive with "to")

191 **Der Infinitiv nach Adjektiven (The infinitive after adjectives)**

a) It's not **easy to learn** the rules for American football.
It's even **more difficult to play** the game.
It's **most difficult to get** a position with a really good team.

Der Infinitiv kann nach den meisten Adjektiven und ihren Steigerungsformen stehen.

b) He's **unlikely to pass** the exam.   Some workers are **certain**/**sure to lose** their jobs.
  … wird wahrscheinlich nicht …   … werden bestimmt …

Infinitivfügungen nach den Adjektiven *likely/unlikely*, *certain* und *sure* werden im Deutschen meist durch Adverbien wiedergegeben.

192 **Der Infinitiv nach Superlativen, Ordinalzahlen oder nach "the only"**
(The infinitive after superlatives, ordinal numbers or "the only")

The **most popular** group │ **to sing**   │ at the pop concert was "The Falling Stones".
The most popular group │ who sang │
                          … die bei dem Pop-Konzert sang …
Old Mrs Cox was the **second** │ **to be bitten** │ by that black dog.
Old Mrs Cox was the second │ who was bitten │
Tim was **the only** boy │ **to enter** │ the dressmaking contest.
Tim was the only boy │ who entered │

Nach Superlativen, Ordinalzahlen sowie nach *the only* kann der Infinitiv statt eines **Relativsatzes** stehen.

193 Der Infinitiv nach Fragewörtern oder "whether"
(The infinitive after question words or "whether")

Frank always knows | **who to ask**.
Frank always knows | who he can/might/should ask.
Frank weiß immer, wen er fragen kann/könnte/sollte.

David told me | **where to find** | the new café.
David told me | where I could find |

Maureen doesn't know | **whether to phone** her sister or **to write** a letter.
| whether she should phone her sister or write a letter.

Nach Fragewörtern (*who*, *where*, *when* usw.) und *whether* kann der Infinitiv statt eines **Gliedsatzes** mit **modalem Hilfsverb** stehen.

194 Der Infinitiv nach Nomina oder "somebody/something" usw.
(The infinitive after nouns or "somebody/something", etc.)

1. The headmaster is the **man** | **to advise** us.
   | who can/might/must/ought to advise us.
2. The **houses** | **to be repaired** | were on the outskirts.
   | that must/ought to/should be repaired |
3. Sandra certainly needs **somebody** | **to help** her | with her French.
   | who could help her |
4. Kate doesn't know **anybody** | **to talk to**.
   | who she could/might talk to.

Nach Nomina (Beispiele 1 und 2) oder *somebody/something* usw. (Beispiele 3 und 4) kann der Infinitiv statt eines **Relativsatzes** mit **modalem Hilfsverb** stehen. Bei einem Verb, das mit einer Präposition fest verbunden ist (Beispiel 4: *talk to*), steht die Präposition an der gleichen Stelle, an der sie auch im Relativsatz stehen würde.

195 Der Infinitiv nach "for" + Nomen oder Pronomen
(The infinitive after "for" + noun or pronoun)

a) 1. Here's a book for Alan. He can read it on the journey.
   Here's a **book for Alan to read** on the journey.
   Hier ist ein Buch, das Alan während der Reise lesen kann.
2. That's difficult for a young person. It's difficult to understand.
   That's **difficult for a young person to understand**.
   Das ist für einen jungen Menschen schwer zu verstehen.
3. The teacher's questions are easy enough for you. You'll be able to answer them.
   It's **easy enough for you to answer** the teacher's questions.
   Es ist ziemlich leicht für dich, die Fragen des Lehrers zu beantworten.
4. The train was going too slow for them. They couldn't arrive in time.
   The train was going **too slow for them to arrive** in time.
   Der Zug fuhr so langsam, daß sie nicht pünktlich ankommen konnten.

Sehr oft steht im Englischen der Infinitiv nach *for* + Nomen oder Pronomen. Diese Infinitivfügung kann auf ein Nomen (Beispiel 1), ein Adjektiv (Beispiele 2 und 3) und auf ein Adverb (Beispiel 4) folgen. Adjektive und Adverbien werden dabei häufig durch *enough* (Beispiel 3) oder *too* (Beispiel 4) verstärkt.

Der Infinitiv 105

b) The fans **waited for the film star to arrive**.
Die Fans warteten auf die Ankunft des Filmstars.

📖 Diese Infinitivfügung kann auch auf bestimmte Verben folgen, die fest mit *for* verbunden sind, z.B. *apply for*, *ask for*, *look for*, *pay for*, *send for*, *wait for*.

196 Der Infinitiv nach bestimmten Verben + Objekt
(The infinitive after certain verbs + object)

a) Mrs Martin **wants Tom to marry** Jean.
The town councillors didn't **want the crowd to enter** the town hall.
Would you **like Anne to go** to the party with you?

📖 Die Fügung *want/would like* + Objekt + Infinitiv drückt aus, daß das Subjekt des Satzes einen Wunsch in bezug auf das Objekt hat: Mrs Martin (Subjekt) möchte, daß Tom (Objekt) Jean heiratet. Im Englischen darf hier keinesfalls ein mit *that* eingeleiteter Objektsatz stehen.

▲ He **wanted to marry** her. = Er wollte sie heiraten.
He **wanted** her **to marry**. = Er wollte, daß sie heiratete.

📖 Diese Infinitivfügung kann auch nach anderen Verben verwendet werden, die ein Wünschen, Wollen, Mögen oder deren Gegenteil ausdrücken, etwa *intend*, *wish*, *prefer*, *hate*, z.B. *Mr Roberts wished the panel to finish the discussion before ten o'clock.* (Mr Roberts wünschte, daß die Teilnehmer die Diskussion vor zehn Uhr beenden sollten.)

▷ „wollen/mögen, daß ...": S. 148

b) The teacher **allowed some pupils to come** later.
The oil along the beaches **caused a lot of tourists to leave**.
Didn't the manager **tell you not to work** so slowly?

📖 Die Fügung „Objekt + Infinitiv" steht auch nach Verben, die ein Zulassen, Veranlassen oder einen Befehl ausdrücken, z.B. *allow*, *permit*, *cause*, *expect*, *tell*, *order*.

▷ Indirekte Rede: 230 b

✱ c) Mrs Redman **imagines her son to be** a great pianist.
Mrs Redman bildet sich ein, daß ihr Sohn ein großer Pianist sei.
Her husband **believes this to be** complete nonsense.
Ihr Mann glaubt, daß das völliger Unsinn sei.
And you? Do you **consider it (to be)** true?
Und du? Bist du der Ansicht, daß das stimmt?

📖 Die Fügung „Objekt + Infinitiv" (mit *be*) nach Verben des Denkens, Sagens und Vermutens, z.B. *believe*, *consider*, *imagine*, *know*, *suppose*, findet sich vor allem im Bereich des formellen Englisch. *to be* kann häufig wegfallen. In der Umgangssprache wird anstelle dieser Konstruktion meist ein *that*-Satz gebraucht, z.B. *Mrs Redman believes that her son is a great pianist.*

197 "to" anstelle von "to" + Verb ("to" instead of "to" + verb)

1. I'm going to have a party tomorrow. Couldn't you **come**? – Yes, I'd like **to** (come).
2. Jack tried **to repair the hole in the tyre**, but he wasn't able **to**.

Um Wiederholungen zu vermeiden, kann *to* anstelle von *to* + Verb (Beispiel 1) oder anstelle eines Infinitivs und der auf ihn folgenden Satzteile (Beispiel 2) stehen.

Der Infinitiv ohne "to" (The infinitive without "to")

198
People **can leave** their luggage at the entrance.
You **mustn't interrupt** somebody talking.
Bill's brother **doesn't smoke** any more.
Fiona **had better talk** to her mother.
Why not stay at home instead of going to that noisy disco?
I **would rather watch** the film on TV tonight.

Der Infinitiv ohne *to* steht nach allen modalen Hilfsverben (mit Ausnahme von *ought*, vgl. 92) und nach dem Hilfsverb *do*. Er steht ferner nach Fügungen wie *had better* (vgl. 104), *why not …?* und *would rather*.

199 "Make" + Objekt + Infinitiv ("Make" + object + infinitive)

The air traffic controllers **made the pilot circle** above the airport.
Why did they **make him lower** the wheels so early?

make + Objekt + Infinitiv bedeutet „(veran)lassen, jemanden dazu bringen, daß …".

▷ „lassen": S. 145–146

Have your brother carry that heavy box.
Laß deinen Bruder diese schwere Kiste tragen.
Mr White **had his daughter turn down** the radio.
Herr White veranlaßte seine Tochter, das Radio leiser zu stellen.

Auch *have* + Objekt + Infinitiv wird in der Bedeutung „(veran)lassen" verwendet.

200 Der Infinitiv nach "let" (The infinitive after "let")

1. Mr Benson **let his son drive** the family car last Sunday.
2. Why doesn't Mrs Harper **let her daughter decide** on her own?
3. They'll **let the visitors wait** in the hall, I bet.
4. **Let's start** now, Linda.
5. **Don't let's wait** till tomorrow.

let + Objekt + Infinitiv bedeutet „zulassen, erlauben" (Beispiele 1–3), *let's* + Infinitiv bringt einen Vorschlag, eine Aufforderung zum Ausdruck (Beispiele 4 und 5).

▷ „lassen": S. 145–146

▷ Infinitiv oder Partizip Präsens nach Verben der Sinneswahrnehmung: 214

Das Gerundium

Die -ing form (The -ing form)

201 **Travelling** is fun. (Gerundium)
Reisen macht Spaß.
Herb wasn't on the train **arriving** at 10.30. (Partizip Präsens)
Herb war nicht in dem Zug, der um 10.30 ankam.

Von jedem englischen Vollverb kann eine *-ing form* gebildet werden. Sie wird – je nach ihrer Funktion im Satz – als Gerundium oder Partizip Präsens bezeichnet.

▷ Bildung und Schreibung der *-ing form:* 113

✱ In spite of many protests the historic **building** was knocked down. (Nomen)
That was an **interesting** film. (Adjektiv)
There were ten people in the room **including** the manager. (Präposition)
Supposing we're late, what might the others say? (Konjunktion)

Nicht alle Wörter, die auf *-ing* enden, werden als *-ing forms* bezeichnet.

Das Gerundium (The -ing form/gerund)

202 1. Mrs Wood prefers **driving** her own car.
2. Mr Wood, however, likes **being driven** to work by his wife.
3. She won a prize for **having driven** for forty years without any accidents.
4. Her husband appreciated **having been driven** to work for so many years.

Vom Gerundium gibt es die folgenden Formen:

Aktiv	Passiv
Präsensform: *driving* (Beispiel 1)	*being driven* (Beispiel 2)
Perfektform: *having driven* (Beispiel 3)	*having been driven* (Beispiel 4)

Die Präsensform des Aktivs (*driving*) wird am häufigsten verwendet. Mit der Perfektform wird Vorzeitigkeit ausgedrückt.

203 **Repairing** the old bridge was hard work. (Subjekt)
Tom enjoys **watching** old cowboy films. (Objekt)
The panel talked about the advantages of **learning** languages. (Attribut)
In **searching** Tim's luggage, the police discovered some drugs. (adverbiale Bestimmung)
Peter's hobby is **cooking**. (prädikative Ergänzung)

Da das Gerundium teils Eigenschaften eines Verbs, teils die eines Nomens besitzt, kann es unterschiedliche Funktionen im Satz erfüllen.

204 Das Gerundium nach Präpositionen (The gerund after prepositions)

Verben, die auf eine Präposition folgen, stehen im Gerundium.

a) 1. **Instead of waiting** the old lady crossed the street alone.
   Anstatt zu warten, ging die alte Dame allein über die Straße.
2. Thanks a lot **for helping** me with the translation, Mike.
   Vielen Dank für deine Hilfe bei der Übersetzung, Mike.
3. Liz was sent to the headmistress **for cheating** in a test.
   Liz wurde zur Schulleiterin geschickt, weil sie in einer Prüfung gemogelt hatte.
4. Bob tried to solve the problem **by making** a new suggestion.
   Bob versuchte das Problem dadurch zu lösen, daß er einen neuen Vorschlag machte.
5. Judy began to cry **on hearing** about the death of her dog.
   Judy begann zu weinen, als sie hörte, daß ihr Hund gestorben war.
6. The "Rangers" can gain a lot of experience **in playing** against the "Blues".
   Die "Rangers" können eine Menge Erfahrungen sammeln, indem/wenn sie gegen die "Blues" spielen.

Anstelle des Gerundiums nach Präpositionen steht im Deutschen häufig eine Infinitivfügung (Beispiel 1), eine nominale Fügung (Beispiel 2) oder ein Gliedsatz (Beispiele 3–6).

b) Several pupils are **afraid of failing** the exam.
   Mehrere Schüler haben Angst, durch die Prüfung zu fallen.

   Are you **happy about going** to Holland next week?
   Freust du dich darauf, nächste Woche nach Holland zu fahren?

Weitere Beispiele für **Adjektiv + Präposition** (mit je einer gebräuchlichen Übersetzung):

angry about/at	*excited about*	*proud of*
ärgerlich über	aufgeregt über	stolz auf
clever at	*famous for*	*tired of*
gut in	berühmt für	genug haben von
crazy about	*glad about*	*used to*
verrückt nach	froh über	gewöhnt an
delighted about	*impressed with*	*useful for*
sehr erfreut über	beeindruckt von	nützlich für
disappointed about/at	*keen on*	*worried about*
enttäuscht über	begeistert von	bekümmert über
enthusiastic about	*necessary for*	
begeistert über	nötig für	

▲ Alan **is used to going** to work by car.
Alan ist daran gewöhnt, mit dem Wagen zur Arbeit zu fahren.
Alan **used to go** to work by car.
Früher fuhr Alan mit dem Wagen zur Arbeit.

▷ Andere mögliche Konstruktionen: 207

Das Gerundium

c) You needn't **worry about leaving** the window open, it won't rain.
Du brauchst dir keine Sorgen zu machen, daß du das Fenster offengelassen hast, ...
Neil **thought of leaving** school as soon as possible.
Neil dachte daran, möglichst bald von der Schule abzugehen.

Weitere Beispiele für **Verb + Präposition** (mit je einer gebräuchlichen Übersetzung):

adjust to
anpassen an

agree with
übereinstimmen mit

apologize for
sich entschuldigen wegen

ask about
fragen nach

begin by
beginnen mit

complain about
sich beklagen über

concentrate on
sich konzentrieren auf

consist of
bestehen aus

cope with
fertig werden mit

decide against
sich entscheiden gegen

depend on
abhängen von

die of
sterben an

dream about/of
träumen von

escape from
fliehen vor

pay for
bezahlen für

prevent (somebody/something) from
hindern an

specialize in
sich spezialisieren in

spend (money/time) on
Geld ausgeben für, Zeit verbringen mit

take part in
teilnehmen an

talk about/of
sprechen über

▲ I'm looking forward **to hearing** from you again. (*to* = Präposition)
Gordon really wants **to take part** in the contest. (*to* = Teil des Infinitivs)

d) Most immigrants had some **difficulties in finding** a good job.
Die meisten Einwanderer hatten einige Schwierigkeiten, eine gute Stellung zu finden.

But they came to the U.S.A. in the **hope of leading** a better life.
Aber sie kamen in die Vereinigten Staaten in der Hoffnung auf ein besseres Leben.

After the oil-tanker had run onto the rocks, the **danger of exploding** was great.
Nachdem der Öltanker auf die Felsen aufgelaufen war, war die Explosionsgefahr groß/ war die Gefahr, daß er explodieren würde, groß/war die Gefahr einer Explosion groß.

Wie diese Sätze zeigen, gibt es im Deutschen für die Fügung „Nomen + Präposition + Gerundium" verschiedene Übersetzungsmöglichkeiten.

Weitere Beispiele für **Nomen + Präposition**:

advantage of	*dislike for/of*	*method of*	*reason for*
alternative of	*doubt about*	*place for*	*surprise at*
chance of	*experience in*	*possibility of*	*trouble in*
choice between	*interest in*	*problem about/in*	*way of*

▷ Andere mögliche Konstruktionen: 207

205 Das Gerundium nach bestimmten formelhaften Wendungen, Adjektiven, Nomina oder Verben (The gerund after certain phrases, adjectives, nouns, or verbs)

a) **There's no denying** the fact that Anne's health could be better.
Die Tatsache läßt sich nicht bestreiten, ...

It's no use/no good running away.
Es ist zwecklos ...

It's worth while learning how to cook a simple meal.
Es lohnt sich, ...

Charles **can't/couldn't help telling** his mother about his new girl-friend.
Charles kann/konnte nicht umhin, ...

How about/What about going to a restaurant for dinner?
Wie wär's, wenn ...

📖 Das Gerundium folgt auf bestimmte **formelhafte Wendungen**.

b) It was **useless waiting** for the coach any longer.
It's always **hard getting** up in the mornings.
It has been a great **pleasure seeing** Debbie's brother again.
The "Brighton Rangers" didn't think it was **fun losing** every game.

📖 Das Gerundium steht nach bestimmten **Adjektiven** und **Nomina**.

▷ Andere mögliche Konstruktionen: 207

▲ Mr Hall's report isn't **worth reading**.
Mr Halls Bericht ist nicht wert, gelesen zu werden.

Nach dem Adjektiv *worth* steht die **aktivische Form** des Gerundiums, sie hat aber **passivische Bedeutung**.

c) Jeff **enjoys going** to the disco as often as possible.
Jeff macht es Spaß, möglichst oft in die Diskothek zu gehen.

He doesn't **mind sleeping** for only a few hours.
Es macht ihm nichts aus, nur ein paar Stunden zu schlafen.

📖 Weitere Beispiele für **Verben**:

admit	*deny*	*include*	*practise*
zugeben	leugnen	einschließen	üben
appreciate	*escape*	*justify*	*reject*
schätzen	entkommen	rechtfertigen	zurückweisen
avoid	*finish*	*keep (on)*	*suggest*
vermeiden	beenden	etwas weiter tun	vorschlagen
consider	*give up*	*mention*	*stop*
erwägen	aufgeben	erwähnen	aufhören, etwas zu tun
delay	*imagine*	*miss*	
aufschieben	sich vorstellen	verpassen	

▷ Andere mögliche Konstruktionen: 207

Das Gerundium

206 Das Gerundium oder der Infinitiv nach bestimmten Verben
(The gerund or the infinitive after certain verbs)

Auf eine Reihe von Verben kann sowohl das Gerundium als auch der Infinitiv folgen.

a) As soon as the rain had stopped the team **began playing**/**to play**.
It's not the government's fault if prices **continue going**/**to go up**.
Every time Mrs Jones **started crying**/**to cry** her husband gave her what she wanted.
Mrs Smith's daughter **intends going**/**to go** to Canada this summer.

Diese Verben verändern ihre Bedeutung nicht, ganz gleich, ob ihnen ein Gerundium oder ein Infinitiv folgt.

b) 1. Most children **hate washing up**.
2. I **hate to interrupt** you, but I need your help.

Nach den Verben *like*, *hate*, *love* und *prefer* besteht die Tendenz, das Gerundium zu wählen, wenn etwas allgemein Gültiges ausgedrückt werden soll (Beispiel 1). Es kann jedoch auch der Infinitiv folgen. Sind konkrete Einzelfälle gemeint, wird häufig der Infinitiv verwendet (Beispiel 2). Es kann jedoch auch das Gerundium folgen.

▲ Kathy **would like to buy** a new camera.
Wouldn't you **love to go** to the States next year?

Nach *would like/love* steht immer der Infinitiv.

c) Die Verben *forget*, *remember*, *go on*, *stop*, *mean* und *try* besitzen unterschiedliche Bedeutungen, je nachdem, ob sie mit dem Gerundium oder mit dem Infinitiv verbunden werden:

1. She'll never **forget making** her first phone call abroad.
Sie wird nie vergessen, wie sie ihr erstes Telefongespräch im Ausland geführt/zum ersten Mal im Ausland telefoniert hat.

She **forgot to post** the letter to John. No wonder he hasn't answered.
Sie vergaß, den Brief an John aufzugeben.

forget doing something = vergessen, daß man etwas getan hat
forget to do something = vergessen, etwas zu tun

2. I still **remember seeing** Tom for the first time.
Ich erinnere mich noch, wie ich Tom zum ersten Mal sah.

I must **remember to see** Tom as soon as possible.
Ich muß daran denken, Tom sobald wie möglich zu besuchen.

remember doing something = sich daran erinnern, daß man etwas getan hat
remember to do something = daran denken, etwas zu tun

3. Paul **went on reading** as if nothing had happened.
Paul las weiter, als ob nichts passiert wäre.

After Nick had called an ambulance he **went on to phone** the police.
Nachdem Nick einen Krankenwagen gerufen hatte, rief er als nächstes die Polizei an.

go on doing something = etwas (d.h. dasselbe) weiterhin tun
go on to do something = etwas (d.h. etwas anderes) als nächstes tun

4. When the audience finally **stopped clapping**, the band played another hit.
   Als die Zuhörer schließlich zu klatschen aufhörten, spielte die Band einen anderen Hit.
   On the way from Paris to Calais the Hills **stopped** once **to eat** something.
   Auf der Fahrt von Paris nach Calais hielten die Hills einmal an, um etwas zu essen.

   stop doing something   =   aufhören, etwas zu tun
   stop to do something   =   anhalten, um etwas (anderes) zu tun

5. The buses are on strike. That **means walking**.
   Die Busse streiken. Das bedeutet, daß wir zu Fuß gehen müssen.
   We **meant to walk** but it was raining.
   Wir wollten zu Fuß gehen, aber es regnete.

   That means doing something.   =   Das bedeutet, daß etwas getan werden muß.
   mean to do something   =   etwas zu tun beabsichtigen

6. **Try turning** the key the other way. Maybe that'll help.
   Versuche es doch einmal, indem du den Schlüssel andersherum drehst.
   I've already **tried to open** the door this way, but it won't open.
   Ich habe bereits versucht, auf diese Weise die Tür zu öffnen, aber sie geht nicht auf.

   try doing something   =   etwas ausprobieren
   try to do something   =   sich bemühen, etwas zu tun

207 Auf Adjektive, Nomina, Verben (+ Präposition) können auch andere Fügungen als das Gerundium folgen, z.B.

(Cathy was **happy about getting** a new camera.)
Cathy was **happy about the new camera**.
Cathy was **happy to get** a new camera.
Was Cathy **happy when she got** a new camera?
The **reason for Gary's behaviour** couldn't be explained.
The **reason why the team lost** was that Alec didn't score a point.
Bill didn't **mention the fact that** he'd left the house early.
Peggy **mentioned to her sister that** she had a new boy-friend.
Jack is lazy and boring, just to **mention a few of his faults**.

**208 Das Gerundium nach einem Nomen oder Personalpronomen
(The gerund preceded by a noun or personal pronoun)**

1. Jock didn't **mind leaving** the party so soon.
   Jock hatte nichts dagegen, die Party so bald zu verlassen.
2. Jock didn't **mind Lynn and Peter leaving** the party so soon.
   Jock hatte nichts dagegen, daß Lynn und Peter die Party so bald verließen.
3. Jock didn't **mind them leaving** the party so soon.
   Jock hatte nichts dagegen, daß sie die Party so bald verließen.

In Beispiel 1 ist Jock Subjekt des ganzen Satzes. In den Beispielen 2 und 3 dagegen besitzt das Gerundium *leaving* jeweils einen eigenen Träger der Handlung *(Lynn, Peter, them)*, der besonders genannt wird.

Das Partizip

*209 Das Gerundium nach einem Possessivpronomen oder Nomen im s-Genitiv
(The gerund preceded by a possessive adjective or noun in the s-genitive)

1. Do you **prefer** me/**my staying** with you?
   Ist es dir lieber, wenn ich bei dir bleibe?

   It's **no use** you/**your requesting** so much money.
   Es hat keinen Sinn, daß du so viel Geld verlangst.

2. Bob didn't like the **idea of** Judy/**Judy's coming**, too.
   Bob gefiel die Idee gar nicht, daß auch Judy kam.

   Are you **happy about** your brother/**your brother's passing** the test?
   Freust du dich, daß dein Bruder die Prüfung bestanden hat?

Im formellen Englisch wird das Possessivpronomen (Beispiele 1) oder der s-Genitiv eines Nomens (Beispiele 2) den Personalpronomen bzw. den Objektformen vorgezogen.

Das Partizip (The participle) *Partizip ersetzt Nebensatz*

210 a) 1. The girl **writing** the exercise on the board is twelve. (-*ing form*/Partizip Präsens)
2. But the solutions **written** show that she's good at maths. (Partizip Perfekt)

Im Englischen gibt es zwei Grundformen des Partizips, und zwar das Partizip Präsens (Beispiel 1) und das Partizip Perfekt (Beispiel 2). Das **Partizip Präsens** hat **aktivische** Bedeutung, das **Partizip Perfekt passivische** Bedeutung.

Durch Verbindung mit den Hilfsverben *be* und *have* werden die zusammengesetzten Formen des Partizips gebildet:

3. **Having written** similar maths problems on the board Alec went back to his desk.
4. **Being written** on the board these problems seemed to be quite easy.
5. **Having been written** down the problems were given as homework.
   Nachdem die Probleme niedergeschrieben worden waren,
   Aktiv *wurden sie als* | Passiv *Hausaufgabe aufgegeben.*

Aktiv	Passiv
writing (Beispiel 1)	written (Beispiel 2)
having written (Beispiel 3)	being written (Beispiel 4)
	having been written (Beispiel 5)

▷ Bildung und Schreibung der -*ing form*: 113
▷ Bildung und Aussprache des Partizips Perfekt der regelmäßigen Verben: 115
▷ Liste der Verben mit unregelmäßiger Partizip-Bildung: S. 152–153

b) Can you see Achim? He's the boy | **wearing** | the green shirt.
                                     | who is wearing |

Tom talked to the girl | **sitting** | in the café yesterday.
                       | who was sitting |

Sue doesn't like everything | **shown** | on TV.
                             | that is/will be shown |

Jock didn't understand the story | **told** | by his teacher last week.
                                  | that had been told |

Die Beispiele zeigen, daß sich das Partizip Präsens nicht nur auf die Gegenwart und das Partizip Perfekt nicht nur auf die Vergangenheit bezieht.

Das Partizip Präsens (The present participle)

211 Das Partizip Präsens nach einem Nomen (The present participle after a noun)

1. The **girl** | **wearing** white jeans | is called Anne.
   | who's wearing white jeans |
2. Bill's mother forgot the **presents** | **lying** on the table.
   | that lay/were lying on the table.
3. Jill knows the **man** | **living** next to her cousin's house.
   | who lives next to her cousin's house.
4. Herb interviewed some old **people** | **needing** help every day.
   | who need help every day.

Das Partizip Präsens kann statt eines **Relativsatzes** stehen. Anders als im Deutschen (z. B. „die auf dem Tisch liegenden Geschenke") steht es im Englischen jedoch normalerweise hinter dem Nomen, auf das es sich bezieht. Diese Stellung ist zwingend, wenn das Partizip – etwa durch eine adverbiale Bestimmung des Ortes (Beispiel 3) oder der Zeit (Beispiel 4) – erweitert ist.

212 Das Partizip Präsens vor einem Nomen (The present participle before a noun)

☐ a) Jim booked a room with **running** water.   "Stop it," Dave said in a **laughing** voice.

Das einfache (nicht erweiterte) Partizip Präsens kann manchmal – wie ein Adjektiv – auch vor einem Nomen stehen. Solche Partizipialfügungen haben stets doppelten Akzent *(level stress)*, z. B. ′running ′water.

b) Mr Smart's secretary is quite a **quick-thinking** woman.
She'd like to get a higher position in Mr Smart's **fast-growing** company.
She can cope very well with **stress-producing** situations.

Fügungen, in denen das Partizip mit einem Adjektiv, Adverb oder Nomen eng verbunden ist, stehen immer vor dem dazugehörigen Nomen.

∗ c) Eine Reihe von Partizipien, etwa *exciting, interesting, surprising*, sind zu echten Adjektiven geworden, d. h., sie können gesteigert (z. B. *more exciting*) und durch *rather, very* usw. genauer bestimmt werden.

213 Das Partizip Präsens nach Verben der Sinneswahrnehmung (The present participle after verbs of perception)

Suddenly the driver **saw** a young woman **running** towards his motor bike.
Plötzlich sah der Fahrer eine junge Frau auf sein Motorrad zurennen.
Plötzlich sah der Fahrer, daß eine junge Frau auf sein Motorrad zurannte.
The policeman **heard** somebody **shouting** for help, but it was only a joke.
Don't you love to **feel** the wind **blowing** through your hair?

Nach Verben der Sinneswahrnehmung, z. B. *look at, notice, see, watch; hear, listen to; feel, smell*, steht im Englischen häufig die Konstruktion „Objekt + Partizip Präsens". Im Deutschen sind nach diesen Verben Infinitive oder Objektsätze gebräuchlich.

214 Das Partizip Präsens oder der Infinitiv nach Verben der Sinneswahrnehmung (The present participle or the infinitive after verbs of perception)

1. Ruth woke up when she **heard** the siren of an ambulance **screaming**.
2. She looked out of the window and **noticed** a fire-engine **stop** near the factory gate.
3. Then she **saw** the ambulance **skid** around the corner, **drive** down the street and **disappear**.

Nach Verben der Sinneswahrnehmung steht in der Regel das **Partizip Präsens**, wenn der **Ablauf** einer **Handlung** betont werden soll (Beispiel 1).

Nach Verben der Sinneswahrnehmung steht in der Regel der **Infinitiv**, wenn ausgedrückt werden soll, daß eine **Handlung beendet** wurde (Beispiel 2).

Der **Infinitiv** wird auch gebraucht, wenn ausgedrückt werden soll, daß **mehrere Handlungen aufeinander folgten** (Beispiel 3).

215 Das Partizip Präsens nach bestimmten Verben (The present participle after certain verbs)

a) Alex and Ian **stood looking** at each other after they'd been sacked.
Alex und Ian standen und sahen einander an, nachdem sie entlassen worden waren.

Jill **remained sitting** when Dr Jones opened the door.
Jill blieb sitzen, als Dr. Jones die Tür öffnete.

Suddenly a stone **came flying** through the window.
Plötzlich kam ein Stein durchs Fenster geflogen.

Das Partizip Präsens steht nach Verben der Ruhe, z.B. *lie*, *remain*, *sit*, *stand*, und Bewegung, z.B. *come*, *go*, *walk*.

b) Tim **kept** the driver **waiting**.
Tim ließ den Fahrer warten.

Uncle George **left** his jacket **lying** on the chair.
Onkel George ließ sein Jacket auf dem Stuhl liegen.

Das Partizip Präsens steht auch nach *keep*, *leave*, *catch*, *find*, *send* und anderen Verben.

Das Partizip Perfekt (The past participle)

216 Das Partizip Perfekt vor einem Nomen (The past participle before a noun)

a) 1. If I were you, I wouldn't wear that **torn** pullover.
2. The **recently arranged** meeting between the two presidents has been cancelled.
3. **Hand-made** shirts are usually more expensive than **factory-produced** ones.

Das nicht erweiterte Partizip Perfekt kann – wie ein Adjektiv – vor einem Nomen stehen. Es kann anstelle eines **Relativsatzes** verwendet werden (Beispiel 1).

Auch Fügungen, in denen das Partizip mit einem Adverb oder Nomen eng verbunden ist, stehen vor dem dazugehörigen Nomen (Beispiele 2 und 3).

※ b) Eine Reihe von Partizipien, etwa *frightened, interested, surprised*, sind zu echten Adjektiven geworden, d.h., sie können gesteigert (z.B. *more frightened*) oder durch *rather, very* usw. genauer bestimmt werden.

217 Das Partizip Perfekt nach einem Nomen (The past participle after a noun)

Photos | **taken** on the moon | were transmitted to the earth.
| that were taken on the moon |

Auf dem Mond aufgenommene Photos wurden zur Erde gefunkt.

The **workers** | **sacked** last week | decided to arrange a protest march.
| who were sacked last week |

Das Partizip Perfekt steht hinter dem dazugehörigen Nomen, wenn es, etwa durch eine Adverbialbestimmung des Ortes oder der Zeit, erweitert ist. Es kann anstelle eines **Relativsatzes** stehen.

218 "Have" + Objekt + Partizip Perfekt ("Have" + object + past participle)

	have	Objekt	Partizip Perfekt
a) Mr Greenbaum	**had**	**the furniture**	**taken** to his new flat.
Mr Greenbaum	ließ	die Möbel	in seine neue Wohnung bringen.
The Snyders	**are having**	**their fridge**	**repaired** at the moment.
Die Snyders	lassen gerade	ihren Kühlschrank	reparieren.
Our school	**is going to have**	**new curtains**	**made** for the teachers' room.
Unsere Schule	hat die Absicht,	neue Vorhänge	für das Lehrerzimmer machen zu lassen.
When **did** the hotel	**have**	**air-conditioning**	**put in**?
Wann ließ das Hotel		eine Klima-Anlage	einbauen?

have + Objekt + Partizip Perfekt bedeutet „(veran)lassen".

※ Anstelle von *have* kann umgangssprachlich auch *get* verwendet werden, z.B. *Sue gets her car washed every week.* (Sue läßt ihren Wagen jede Woche waschen.)

▲ Brian **had cut** his hair. = Brian (selbst) hatte sich das Haar geschnitten.
Brian **had** his hair **cut**. = Brian ließ sich das Haar schneiden.

▷ „lassen": S. 145–146

※ b) Bobby **had/got his trousers torn**.
Bobby hatte sich die Hose zerrissen.
Carol **had/got her arm broken**.
Carol brach sich den Arm.

have/get + Objekt + Partizip Perfekt werden auch gebraucht, wenn das Ergebnis eines meist als unerfreulich empfundenen Geschehens ausgedrückt wird.

Das Partizip

219 Partizipien anstelle adverbialer Gliedsätze (Participles instead of adverbial clauses)

1. **Noticing** Marcia | I told her the news immediately.
   When I noticed Marcia |
2. **Encouraged** by his good results | Clyde worked even harder.
   Because Clyde was encouraged by his good results | he
3. **Though speaking** little French, | Regina started to translate for her guests.
   Though Regina spoke little French, | she

Das Partizip Präsens (Beispiele 1 und 3) und das Partizip Perfekt (Beispiel 2) können anstelle adverbialer Gliedsätze stehen. Haupt- und Gliedsatz bzw. Partizipialfügung haben das gleiche Subjekt. Ist das Subjekt des Gliedsatzes ein Nomen, so rückt es bei der Partizipialfügung in den Hauptsatz (Beispiele 2 und 3).

▲ Partizipialfügungen sind für das formelle Englisch typisch. In der Umgangssprache werden adverbiale Gliedsätze bevorzugt.

▷ Partizipialfügungen mit eigenem Subjekt: 222

220 Partizipien anstelle von Temporal- oder Kausalsätzen (Participles instead of adverbial clauses of time or reason)

a) 1. Kate broke one of the expensive plates | **washing up**.
   | while she was washing up.
2. **Hearing** | that there was snow in Boston the pilot flew to New York.
   When he heard |
3. **Having drunk** | five beers Frank decided not to drive home.
   After he had drunk |
4. **Told** | to write the letter again, the secretary reacted angrily.
   When she was told |

Das Partizip Präsens (Beispiele 1 und 2) und manchmal auch das Partizip Perfekt (Beispiel 4) können statt eines **Temporalsatzes** stehen, der durch die Konjunktionen *when* oder *while* eingeleitet wird. *having* + Partizip Perfekt (Beispiel 3) entspricht einem Temporalsatz, der durch *after* eingeleitet wird.

∗ 1. Claud noticed a man | **when entering** the hall.
   | when he entered the hall.
2. Yesterday Liz saw the headmaster | **while driving** past the school.
   | while she was driving past the school.

In der Regel werden Partizipialfügungen, die einem Temporalsatz entsprechen, ohne einleitende Konjunktion verwendet. Wenn aber im Hauptsatz ein Objekt steht, muß dem Partizip ein *when* oder *while* vorausgehen, damit Mißverständnisse vermieden werden. Ohne diese Konjunktionen würden diese Sätze einen ganz anderen Sinn erhalten, nämlich ... *a man who was entering the hall* (Beispiel 1) und ... *the headmaster, who was driving past the school* (Beispiel 2).

Eine Konjunktion ist auch dann erforderlich, wenn eine kausale Bedeutung ausgeschaltet werden soll, z.B.

Playing the piano Miss Frank didn't hear the strange noise.
Da/Als Miss Frank Klavier spielte, ...
While playing the piano Miss Frank didn't hear the strange noise.
Während Miss Frank Klavier spielte, ...

b) **Wanting** to fly to Japan, | the Armstrongs began to save all their money.
As they wanted to fly to Japan, |
Repeated several times, | the film reached a large audience.
Because it was repeated several times, |
Pat decided not to go to the cinema | **having seen** the film twice.
| since she had already seen the film twice.

Das Partizip Präsens und das Partizip Perfekt können statt eines **Kausalsatzes** stehen, der durch die Konjunktionen *as*, *because* oder *since* („da") eingeleitet wird.

▲ **Slamming** the door, the boss left the office.
Der Chef verließ das Büro, wobei er die Tür zuschlug.
President Dawson entered the hall **smiling** happily.
Präsident Dawson betrat die Halle. Er lächelte glücklich.
... und lächelte glücklich.

Das Partizip Präsens wird oft verwendet, um Begleit- oder Nebenumstände wiederzugeben. Im Deutschen steht dafür häufig ein modaler Gliedsatz, der durch „indem" oder „wobei" eingeleitet wird. (Wie im Englischen können auch im Deutschen statt dessen zwei Hauptsätze oder ein mit „und" angeschlossener Satz stehen.)

221 Partizipialfügungen, die durch Konjunktionen eingeleitet werden (Participle clauses introduced by conjunctions)

If told to apply again, | Peter would do it.
If Peter was told to apply again, | he
Though playing outside, | the children didn't hear the explosion.
Though the children were playing outside, | they
The officials were never satisfied | **unless cheating** the citizens.
| unless they were cheating the citizens.

Um eine gewünschte Bedeutung zweifelsfrei zu vermitteln, wird bei Partizipialfügungen, die anstelle eines adverbialen Gliedsatzes stehen, eine Konjunktion gesetzt (vgl. aber 220). Häufig verwendete Konjunktionen sind *(al)though*, *as if*, *if*, *till*, *until*, *unless*.

222 Partizipialfügungen mit eigenem Subjekt (Participle clauses with their own subject)

1. **Being** upset after the argument, **Claud** made himself a drink.
2. **His wife being** upset after the argument, **Claud** made her a drink.

In Beispiel 1 haben Partizipialfügung und Hauptsatz das gleiche Subjekt *(Claud)*, in Beispiel 2 dagegen je ein eigenes Subjekt *(his wife, Claud)*.

Das Partizip 119

Bei Partizipialfügungen mit eigenem Subjekt lassen sich zwei Typen unterscheiden, und zwar

a) **durch "with" eingeleitete Partizipialfügungen (Participle clauses introduced by "with")**

You can't go to school **with your head aching** so terribly.
Du kannst mit so starken Kopfschmerzen nicht zur Schule gehen.

No wonder Sally's husband is ill **with her doing** the cooking.
Kein Wunder, daß Sallys Mann bei ihrer Kocherei krank ist.

With cars produced so cheaply, the new company is certain to make huge gains.
Wenn die neue Firma ihre Autos so billig herstellen kann, wird sie sicherlich große Gewinne machen.

Solche durch die Präposition *with* eingeleiteten Partizipialfügungen sind nicht nur im formellen Englisch, sondern auch in der Umgangssprache sehr häufig.

* b) **Partizipialfügungen ohne einleitendes "with" (Participle clauses not introduced by "with")**

The music having finished, the DJ turned the record over.
Nachdem die Musik geendet hatte, drehte der Diskjockey die Platte um.

The dancers came out, **the girls stamping** their feet.

Tony began to cry, **his heart broken** for the first time.

Die nicht mit *with* eingeleitete Partizipialfügung mit eigenem Subjekt wird vom Hauptsatz stets durch ein Komma getrennt. Sie ist fast ausschließlich im formellen Englisch gebräuchlich.

223 Einige idiomatische Wendungen mit Partizipien (Some idiomatic expressions with participles)

Talking of holidays/breakfast/school reports, what do you think about ... ?
Da wir gerade vom Urlaub/Frühstück/von den Schulzeugnissen reden, wie denkst du über ... ?

Generally speaking, the Indians' standard of living has improved in recent years.
Allgemein gesagt/Im allgemeinen hat sich der Lebensstandard der Indianer in den vergangenen Jahren verbessert.

Today 400,000 immigrants, **roughly speaking**, settle in the U.S.A. every year.
Grob gesagt/Ungefähr 400 000 Einwanderer lassen sich heutzutage jährlich in den USA nieder.

Weather/**Time**/**Health permitting**, Miss Cox will take part in the tennis match next week.
Wenn es das Wetter/ihre Zeit/ihre Gesundheit erlaubt, wird Miss Cox nächste Woche an dem Tennisspiel teilnehmen.

Indirekte Rede (Reported speech)

224 Direkte und indirekte Rede (Direct and reported speech)

a) Jill: "I'm going to visit John next week." (Direkte Rede)
Jill said (that) she was going to visit John the following week. (Indirekte Rede)

In der indirekten Rede wird berichtet, was jemand gesagt oder geschrieben hat.

Soll ein in der direkten Rede stehender Satz in der indirekten Rede wiedergegeben werden, müssen häufig eine Reihe von Veränderungen vorgenommen werden, z.B. bei den Pronomen (vgl. 225), bei den Tempora (vgl. 226–230) und bei den Adverbialbestimmungen (vgl. 231).

b) 1. Peggy: "Tom is boring."
Peggy says (that) Tom is boring.
Peggy sagt, daß Tom langweilig **sei**.

2. Richard: "I've lost my money."
Richard has said (that) he's lost his money.
Richard sagte, daß er sein Geld verloren **habe**.

Im Englischen steht vor der indirekten Rede kein Komma. *that* kann häufig weggelassen werden. Im Gegensatz zum Englischen wird im Deutschen bei der indirekten Rede der Konjunktiv gebraucht (Beispiel 1: „sei"; Beispiel 2: „habe").

225 Veränderungen der Pronomen (Changes in pronouns and possessive adjectives)

Direkte Rede	Indirekte Rede
1. Bob: "**I** haven't telephoned **my** mother."	Bob pointed out (that) **he** hadn't telephoned **his** mother.
2. Jane to Dave: "**You**'re the first visitor in **our** new flat."	Jane said to Dave (that) **he** was the first visitor in **their** new flat.
3. Joan: "**I** travel to Brighton once a month."	A few minutes ago **I** mentioned that **I** travelled to Brighton once a month.

Wird ein in der direkten Rede stehender Satz in der indirekten Rede wiedergegeben, müssen die Personal- und Possessivpronomen der 1. und 2. Person häufig verändert werden (Beispiele 1 und 2). Dabei darf jedoch nicht schematisch vorgegangen werden, wie Beispiel 3 zeigt. Hier wiederholt der Sprecher etwas, was er vorher selbst gesagt hat. *I* wird daher nicht verändert.

Mögliche Veränderungen:

Personalpronomen: *I, you* (Singular) ⟶ *he, she*
we, you (Plural) ⟶ *they*

Possessivpronomen: *my, your* (Singular) ⟶ *his, her*
our, your (Plural) ⟶ *their*

226 Die Verschiebung der Tempora in der indirekten Rede (The back-shift in reported speech)

a) Aussagesätze (Statements)

Direkte Rede	Indirekte Rede
1. Peter: "My neighbours **aren't** very friendly."	1. Peter said (that) his neighbours **weren't** very friendly.
2. Mary: "The garden **is beginning** to look nice."	2. Mary thought (that) the garden **was beginning** to look nice.
3. Jim: "We**'ve** never **seen** such a terrible accident."	3. Jim told us that they**'d** never **seen** such a terrible accident.
4. Mike: "I **haven't been living** in Oxford very long."	4. Mike pointed out that he **hadn't been living** in Oxford very long.
5. Sally: "My brother **went** to France for two weeks."	5. Sally remarked that her brother **had gone** to France for two weeks.
6. Bob: "There**'s going to** be a new airport near the village."	6. Bob told us (that) there **was going to** be a new airport near the village.
7. Jane: "I**'ll** drive to Cambridge on Friday."	7. Jane said (that) she **would** drive to Cambridge on Friday.

Aussagesätze, die in der indirekten Rede stehen, werden durch Verben wie *agree, answer, be sure, grumble, know, point out, remark, say, tell s.b., think* usw. eingeleitet.

Wenn das einleitende Verb im *simple past* (*said, pointed out, remarked* usw.) steht, müssen in der indirekten Rede andere Tempora als in der direkten Rede verwendet werden. Folgende „Verschiebung der Tempora" (*back-shift*) ist zu beachten:

1. *Simple present* ⟶ *Simple past*
2. *Present progressive* ⟶ *Past progressive*
3. *Present perfect* ⟶ *Past perfect*
4. *Present perfect progressive* ⟶ *Past perfect progressive*
5. *Simple past* ⟶ *Past perfect*
6. *Going to-future* ⟶ *Was/Were going to* + Infinitiv
7. *Will-future* ⟶ *Would* + Infinitiv

b) Fragen (Questions)

Direkte Rede	Indirekte Rede
1. "**How long did you live** with your parents?" David asked the girl.	David asked the girl **how long she'd lived** with her parents.
2. "**Do you live** in a flat or a house?" David asked her.	David wanted to know **if/whether she lived** in a flat or a house.

Die Regel über die Verschiebung der Tempora gilt auch für Fragesätze. Sie werden in der indirekten Rede durch Verben wie *ask, want to know, wonder* usw. eingeleitet.

Wenn die direkte Rede mit einem Fragewort (*what, when, where, how long* usw.) beginnt, wird das Fragewort in die indirekte Rede übernommen (Beispiel 1).

Wenn in der direkten Rede kein Fragewort vorhanden ist, steht in der indirekten Rede *if* oder *whether* (Beispiel 2).

▲ Fragen in der indirekten Rede werden mit der Wortstellung von Aussagesätzen gebildet:

		Subjekt	Verb	Objekt
Aussagesatz:		Mary	gave up	her job.
Indirekte Frage: Eric asked Mary	if/whether when why	she	had given up	her job.

*227 Keine Verschiebung der Tempora in der indirekten Rede (No back-shift in reported speech)

a) Carol: "My best subject at school **is** maths."
Carol **says** her best subject at school **is** maths.
Carol **has** always **said** her best subject at school **is** maths.
If you ask Carol, she**'ll tell** you her best subject at school **is** maths.

Steht das einleitende Verb im *simple present*, *present perfect* oder *will-future*, wird das Tempus der direkten Rede in der indirekten Rede **nicht** verändert.

b) 1. Tom: "Hamburg **lies** on the Elbe."
Tom said Hamburg **lies** on the Elbe.
2. Jill: "My brother **is** ill."
Jill told us that her brother **is** ill.

Das Tempus der direkten Rede kann erhalten bleiben, wenn die Aussage allgemein gültig ist (Beispiel 1) oder zum Zeitpunkt ihrer Wiedergabe noch zutrifft (Beispiel 2).

c) 1. Sue: "I went to bed after John **had rung** me up."
Sue told us that she'd gone to bed after John **had rung** her up.
2. Eric: "I**'d been driving** for five hours before I felt tired."
Eric remarked that he**'d been driving** for five hours before he'd felt tired.

Ein in der direkten Rede verwendetes *past perfect* (Beispiel 1) oder *past perfect progressive* (Beispiel 2) bleibt in der indirekten Rede erhalten, da kein weiterer *back-shift* möglich ist.

d) Henry: "I **was** at home on my birthday."
Henry pointed out that | he **was** | at home on his birthday.
| he **'d been** |

Pat: "Bob called while I **was having** lunch."
Pat grumbled that Bob had called while | she **was having** | lunch.
| she **'d been having** |

Im Gegensatz zum formellen Englisch werden in der Umgangssprache ein in der direkten Rede stehendes *simple past* oder *past progressive* in der indirekten Rede oft beibehalten.

Modale Hilfsverben in der indirekten Rede (Modals in reported speech)

228 Modale Hilfsverben verhalten sich mit Bezug auf den *back-shift* unterschiedlich. Einige folgen den Regeln der Tempusverschiebung, andere nicht.

a) **Modale Hilfsverben mit Verschiebung der Tempora (Modals with back-shift)**

Direkte Rede	Indirekte Rede
Tom: "Decorating rooms **can** be very tiring."	Tom thought that decorating rooms **could** be very tiring.
Sue: "I **may** be late."	Sue said she **might** be late.
Kathy: "**Shall** we leave at six o'clock?"	Kathy wondered if they **should** leave at six o'clock.
Ted: "Damn it! The car **won't** start."	Ted grumbled that the car **wouldn't** start.

Ein in der direkten Rede stehendes *can, may, shall, will* wird in der indirekten Rede zu *could, might, should, would*.

b) **Modale Hilfsverben ohne Verschiebung der Tempora (Modals without back-shift)**

Direkte Rede	Indirekte Rede
Jane: "I **would** buy the ring if I **could**."	Jane said that she **would** buy the ring if she **could**.
Fred: "Tim **might** come, too."	Fred thought Tim **might** come, too.
Derek: "Peter **should**/**ought to** pay the electricity bill."	Derek thought that Peter **should**/**ought to** pay the electricity bill.

would, could, might, should, ought to werden in der indirekten Rede **nicht** verändert. Ebenso verhalten sich *used to, would like to* und *had better*.

✶ 229 **"must", "needn't", "mustn't" mit oder ohne Tempusverschiebung (Back-shift or no back-shift with "must", "needn't", "mustn't")**

a) must

1. Doctor: "You **must** take these pills twice a day." (Verpflichtung)
   The doctor told me that I | **must** | take these pills twice a day.
                              | **had to** |
2. Rose: "A little boy on the phone? Oh, it **must** be Johnny." (Schlußfolgerung)
   Rose thought it **must** be Johnny on the phone.
3. Joe: "We really **must** paint the house soon, Tom." (Vorschlag)
   Joe said to Tom that they really **must** paint the house soon.
4. Ms Custer: "You simply **must** go to the camping exhibition, dear." (Ratschlag)
   Ms Custer advised her sister that she simply **must** go to the camping exhibition.

Dient *must* zum Ausdruck einer Verpflichtung oder eines Zwangs (Beispiel 1), so kann es in der indirekten Rede durch *had to* ersetzt werden. Drückt *must* jedoch eine Schlußfolgerung (Beispiel 2), einen Vorschlag (Beispiel 3) oder einen Ratschlag (Beispiel 4) aus, so bleibt es in der indirekten Rede unverändert.

b) needn't

Peggy: "I **needn't** do any homework on Saturdays."
Peggy said that she | **needn't** / **didn't have to** | do any homework on Saturdays.
Peggy sagte, daß sie sonnabends keine Schularbeiten zu machen brauche.

Mit *needn't* wird ausgedrückt, daß keine Verpflichtung oder kein Zwang besteht. Es wird daher wie *must* (vgl. 229 a, Beispiel 1) gebraucht: Das heißt, es kann entweder unverändert in die indirekte Rede übernommen oder durch *didn't have to* ersetzt werden.

c) mustn't

Doctor: "You **mustn't** stay up so long."
The doctor told me that I | **mustn't** / **wasn't to** | stay up so long.
Der Arzt sagte mir, daß ich nicht so lange aufbleiben dürfe.

Sylvia: "We **mustn't** leave the door unlocked."
Sylvia pointed out that they | **mustn't** / **weren't to** | leave the door unlocked.

mustn't bleibt in der indirekten Rede unverändert oder wird durch *wasn't/weren't to* ersetzt.

230 Befehle, Einladungen, Bitten, Ratschläge, Vorschläge in der indirekten Rede (Reported commands, invitations, requests, advice, suggestions)

a) Wenn man einen Satz richtig in der indirekten Rede wiedergeben will, muß man wissen, **was** man mit ihm ausdrücken will. Der Satz *"Why don't you hire a new assistant, Herb?"* beispielsweise kann in der indirekten Rede – je nach Sprechabsicht – verschieden wiedergegeben werden:

1. Tom **asked** Herb **why** he didn't hire a new assistant. (Frage nach dem Grund)
2. Tom **asked** Herb **to hire** a new assistant. (Bitte)
3. Tom **suggested** that Herb **should hire** a new assistant. (Vorschlag)
4. Tom **advised** Herb **to hire** a new assistant. (Ratschlag)

Das die indirekte Rede einleitende Verb macht also sofort die jeweilige Sprechabsicht deutlich.

b) Befehle (Commands)

Direkte Rede	Indirekte Rede
Mr Blake to **Harry**: "**Come** home by eleven o'clock and **don't forget** your key."	Mr Blake **told Harry to come** home by eleven o'clock and **not to forget** his key.

Befehle werden in der indirekten Rede durch einen Infinitiv mit *to* (verneinte Form: *not to*) wiedergegeben. Als einleitende Verben können auch *order*, *command*, *instruct* verwendet werden.

c) **Einladungen, Bitten, Ratschläge (Invitations, requests, advice)**

Direkte Rede	Indirekte Rede
Einladung	
Carl: "**Won't you have** another helping, **Pat?**"	1. Carl **invited Pat to have** another helping. **Oder**: 2. Carl **offered Pat** another helping. **Oder**: 3. Carl **asked Pat if she wouldn't have** another helping.
Bitte	
Jerry: "**Can/Could/Will/Would you pass** me the butter, please, **Kate?**"	4. Jerry **asked Kate to pass** him the butter. **Oder**: 5. Jerry **asked Kate for** the butter. **Oder**: 6. Jerry **asked Kate if she could pass** him the butter.
Ratschlag	
John: "You**'d better take** an umbrella, **Sue**."	7. John **advised Sue to take** an umbrella. **Oder**: 8. John **told Sue that she'd better take** an umbrella.

Einladungen, Bitten und Ratschläge können in der indirekten Rede durch den Infinitiv mit *to* wiedergegeben werden. (Beispiele 1, 4, 7).

Daneben kann mitunter eine nominale Fügung (Beispiele 2 und 5) gebraucht werden.

Auch die Wiedergabe durch einen Gliedsatz ist möglich (Beispiele 3, 6 und 8). Dabei ist die *back-shift*-Regel zu beachten.

d) **Vorschläge (Suggestions)**

Direkte Rede	Indirekte Rede
1. Jack: "**Shall we** leave earlier**?**"	Jack **suggested leaving** earlier.
2. Marcia: "**Why don't you ring up** Bob, **Kathy?**"	Marcia **suggested to Kathy that she should ring up** Bob.

Mit *suggest* lassen sich Vorschläge in der indirekten Rede wiedergeben. Dabei ist darauf zu achten, daß auf *suggest* kein Infinitiv mit *to* folgen darf. Entweder muß ein Gerundium (Beispiel 1) oder ein *that*-Satz mit *should* (Beispiel 2) angeschlossen werden.

231 Veränderungen der Adverbialbestimmungen des Ortes und der Zeit in der indirekten Rede
(Changes in adverbial expressions of place and time in reported speech)

a) 1. Ort:
Doris (**at the beach**): "The beach is wonderful. I like it **here**."
John (**at the hotel**): "Doris said the beach was wonderful and she liked it **there**."

2. Zeit:
Sandra (**on Friday**): "I sold my old car **yesterday**."
Clyde (**on the following Monday**): "Sandra told me on Friday that she'd sold her old car **the day before**."

Adverbialbestimmungen des Ortes (Beispiel 1) und der Zeit (Beispiel 2) müssen in der indirekten Rede auf Grund der veränderten Sprechsituation oft verändert werden. So muß etwa in Beispiel 1 *here* zu *there* und in Beispiel 2 *yesterday* zu *the day before* werden. Dabei darf jedoch nicht schematisch vorgegangen werden. Die in der indirekten Rede erforderlichen Veränderungen hängen davon ab, **wo** und **wann** jemand über den Inhalt des in der direkten Rede stehenden Satzes berichtet. Dies zeigen die folgenden Beispiele:

Jack (to Linda **in front of the supermarket on Wednesday morning**):
"Rachel lost her purse **here yesterday**. Did she tell you?"

Linda (to Harry **at home later that day**):
"Jack told me that Rachel had lost her purse **at the supermarket yesterday**."

Linda (to Anne **at the butcher's the next day**):
"I met Jack in front of the supermarket yesterday and he told me that Rachel had lost her purse **there on Tuesday**."

Betty (to Janet **in front of the supermarket a few days later**):
"I was talking to Jack on Wednesday and he told me that Rachel had lost her purse **here the day before**."

b) Zu den häufigsten Veränderungen der temporalen Adverbialbestimmungen gehören:

Direkte Rede		Indirekte Rede
today	⟶	*that day*
yesterday	⟶	*the day before*
three days ago	⟶	*three days before*
last week	⟶	*the previous week/a week before*
tomorrow	⟶	*the next/following day*
next week	⟶	*the following week/a week later*

Gliedsätze (Clauses)

If-Sätze (If-clauses)

232 *If*-Sätze mit dem simple present, present progressive, present perfect oder "should" + Infinitiv
(If-clauses with the simple present, present progressive, present perfect or "should" + infinitive)

a)

If-Satz	Hauptsatz
1. If Tim **leaves** immediately,	he**'ll catch** the 6.30 train.
If he **doesn't hurry**,	he **won't manage** to catch it.
If you **see** Jeff tonight,	**ask** him to ring me up.
2. If Tina **is doing** the washing now,	she **can't go** shopping with us.
If Sally **is** still **feeling** sick,	she **should go** to bed.
3. If Dick **hasn't booked** his holiday yet,	he **ought to hurry** up.
If the Pratts **have decided** to move to Boston,	they**'ll have to rent** a flat there.

Das Verb im **if**-Satz steht im **simple present**, **present progressive** oder **present perfect**, im **Hauptsatz** steht das **will-future**, der **Imperativ** oder ein **modales Hilfsverb**.

In *if*-Sätzen dieses Typs nennt der Sprecher die Voraussetzungen oder Bedingungen, unter denen etwas geschehen wird, kann, soll usw. Nach seiner Meinung sind die Voraussetzungen oder Bedingungen erfüllbar, im Augenblick gegeben oder in der Vergangenheit bereits erfüllt worden.

Bezieht sich die Voraussetzung oder Bedingung auf ein künftiges Geschehen, so steht im *if*-Satz das *simple present* (Beispiele 1). Bezieht sich die Voraussetzung oder Bedingung auf ein Geschehen, das noch im Verlauf ist, so steht im *if*-Satz das *present progressive* (Beispiele 2). Bezieht sich die Voraussetzung oder Bedingung auf etwas, was bereits geschehen ist, so steht im *if*-Satz das *present perfect* (Beispiele 3).

▲ **If** Tim leaves immediately, he'll catch the 6.30 train.
Tim will catch the 6.30 train **if** he leaves immediately.

If-Sätze können dem Hauptsatz sowohl vorangehen als auch ihm folgen.

b) If Bob **should sell** his car,   he**'ll let** you know.
If you **should lose** your passport,   you **must go** to the police.

Im **if-Satz** steht **should + Infinitiv**, im **Hauptsatz** steht das **will-future**, der **Imperativ** oder ein **modales Hilfsverb**.

If-Sätze dieses Typs werden verwendet, wenn man für wenig wahrscheinlich hält, daß die Voraussetzungen oder Bedingungen verwirklicht werden.

▲ If Reg **arrives** in time, ... (I'm expecting him to be punctual.)
Falls Reg rechtzeitig ankommt, ...

If Reg **should arrive** in time, ... (I'm not expecting him to be punctual.)
Falls Reg rechtzeitig ankommen sollte, ...

▷ Wegfall von *if* in Sätzen mit *should* + Inversion: 236

c) If the petrol tank **is** empty,   the car **doesn't start**.
If you **throw** a stone into a river,   the stone **sinks** to the bottom.

Will man ausdrücken, daß unter gleichen Voraussetzungen oder Bedingungen immer wieder die gleichen Folgen eintreten, so muß auch im **Hauptsatz** das **simple present** stehen. *if* besitzt hier die Bedeutung *whenever*.

▲   If it rains tonight, the streets **will be** wet tomorrow. (konkrete Situation)
If it rains, the streets **are** wet. (allgemeingültige Aussage)

📖   Weitere Konjunktionen, die *if*-Sätze einleiten, sind: *in case* (falls, wenn) und *unless* (falls nicht, wenn nicht).

233 If-Sätze im simple past (If-clauses with the simple past)

If-Satz	Hauptsatz
a) If he **had** £20,000,	Alan **would buy** a house.
If the Coopers **owned** a garden,	they **could grow** their own vegetables.
... besäßen/besitzen würden	
b) If Elaine **passed** the exam,	she **could apply** for a job as a secretary.
If Derek **didn't follow** his father's advice,	he **might be** sorry.

Das Verb im **if**-Satz steht im **simple past**, im **Hauptsatz** steht **would/could/might + Infinitiv**. (Das *simple past* des *if*-Satzes sagt nichts über die Vergangenheit aus!)

In *if*-Sätzen dieses Typs nennt der Sprecher die Voraussetzungen oder Bedingungen, unter denen etwas geschehen würde, könnte, sollte usw. Nach seiner Meinung ist es mit Bezug auf die Gegenwart unmöglich (Beispiele a) oder mit Bezug auf die Zukunft zweifelhaft (Beispiele b), daß diese Voraussetzungen oder Bedingungen erfüllt werden.

▲   1. If Paul **protested** against the plan, he would be sacked.
Wenn Paul gegen den Plan protestierte/protestieren würde, würde er entlassen werden.

Während man im Deutschen auch im Bedingungssatz den Konjunktiv „würde" verwenden kann, steht im *if*-Satz das *simple past*, nicht *would* (vgl. aber 235).

2. If I **was** a pilot/at home/on holiday/five years younger, ...
Aber: **If I were you**, ...

234 If-Sätze im past perfect (If-clauses with the past perfect)

If-Satz	Hauptsatz
If Eric **had saved** some money,	he **could have bought** his own house.
If you**'d shouted** for help,	I**'d have heard** you.
If Alec **had seen** the poster,	he **might have gone** to the concert.

Das Verb im **if**-Satz steht im **past perfect**, im **Hauptsatz** steht **could/would/might + Infinitiv Perfekt** (= *have* + Partizip Perfekt).

In *if*-Sätzen dieses Typs nennt der Sprecher die Voraussetzungen oder Bedingungen, unter denen etwas geschehen wäre, hätte geschehen können, sollen usw. Der Sprecher weiß, daß die Voraussetzungen oder Bedingungen nicht mehr erfüllt werden können, weil sie sich auf die Vergangenheit beziehen.

Gliedsätze

▲ Im **if-Satz**: I**'d**, you**'d**, he**'d**, etc. = I **had**, you **had**, he **had**, etc.
Im **Hauptsatz**: I**'d**, you**'d**, he**'d**, etc. = I **would**, you **would**, he **would**, etc.

▷ Wegfall von *if* in Sätzen mit *had* + Inversion: 236

*235 "Will/Would" im if-Satz ("Will/Would" in the if-clause)

If-Satz	Hauptsatz
If you **will wait** here for a moment, Wenn Sie hier warten wollen/könnten/würden, …	I'll ask the manager to help you.
If you **would send** me your address, Wenn Sie mir Ihre Adresse bitte schicken wollten, …	I'd send you the brochures.

will und *would* können normalerweise nicht im *if*-Satz verwendet werden. Sie sind jedoch in höflichen Bitten üblich.

236 Wegfall von "if" + Inversion (Omission of "if" + inversion)

If-Satz	Hauptsatz
If anything unusual **should happen**, **Should anything unusual happen**,	please ring me up.
If Peter **had known** the effects of alcoholism, **Had Peter known** the effects of alcoholism,	he would have stopped drinking.

In *if*-Sätzen mit *should* oder mit dem *past perfect* kann *if* weggelassen werden. Dann ist jedoch **Inversion** erforderlich: *should/had* stehen vor dem Subjekt.

Relativsätze (Relative clauses)

237 a) The ⎡boy⎤ ⎣**who** serves in the coffee-bar⎦ is the owner's son.

b) This is the ⎡house⎤ ⎣the Clarks bought⎦.

c) ⎡Mary,⎤ ⎣**who** drove me home,⎦ has a Jaguar.

d) ⎡The Fergusons had lunch at the museum,⎤ ⎣**which** saved a lot of time⎦.

Relativsätze beziehen sich auf ein vorausgehendes Wort (Beispiele a–c). Sie werden durch die Relativpronomen *who, whom, whose, which, that* eingeleitet. Relativsätze **ohne** Relativpronomen werden *contact clauses* genannt (Beispiel b).

Relativsätze können sich auch auf einen vorausgehenden ganzen Satz beziehen (Beispiel d). In diesem Fall lautet das Relativpronomen *which*.

Im Englischen gibt es zwei Arten von Relativsätzen: **bestimmende**/einschränkende Relativsätze *(defining relative clauses)* und **nicht-bestimmende**/nicht-einschränkende Relativsätze *(non-defining relative clauses)*. Nicht-bestimmende Relativsätze werden fast nur im formellen Englisch verwendet.

238 Bestimmende/Einschränkende Relativsätze (Defining relative clauses)

a) Do you know that singer from Italy **who** always sings in French?
Have you seen the book **that** I bought yesterday?
The bus **that** goes to Dover stops in Canterbury, too.

Ein bestimmender Relativsatz *(defining relative clause)* bestimmt dasjenige Wort genauer, auf das er sich bezieht. Ohne ihn bliebe unklar, wer oder was gemeint ist: welcher Sänger, welches Buch, welcher Bus? Bestimmende Relativsätze sind in der Umgangssprache wie auch im formellen Englisch gebräuchlich.

▲ Ein bestimmender Relativsatz wird nicht durch Kommas vom Hauptsatz getrennt.

b) **Das Relativpronomen als Subjekt (The relative pronoun as subject)**

	Subjekt	
Is this the girl	**who**/**that**	won the 200 metres?
Where's the nearest shop	**that**	sells cigarettes?
There's still one problem	**which**	has to be discussed.

Bei **Personen** steht *who* oder *that*, bei **Dingen** *that* oder – im formellen Englisch – *which*.

▲ I believe this is **all that** can be said at the moment.
    ... alles, was ...
Is there **anything that** should be put in the fridge?
    ... etwas, was ...
that steht nach *all*, *something*, *anything*, *everything*, *nothing*.

c) **Das Relativpronomen als Objekt (The relative pronoun as object)**

	Objekt	
The girls	**who**/**that**	Peter met yesterday were French.
The detective wanted to talk to the man	**whom**	he had seen the day before.
The book	**that**	Dad gave me wasn't very interesting.
The brochures	**which**	you sent me arrived here last week.

Bei **Personen** steht *who* oder *that*, im formellen Englisch *whom*. Bei **Dingen** verwendet man *that*, im formellen Englisch *which*.
In der Umgangssprache ist hier ein *contact clause* üblich.

▷ Relativsätze ohne Relativpronomen *(contact clauses)*: 239

Gliedsätze

d) Das Relativpronomen mit Präpositionen
(The relative pronoun with prepositions)

		(Ms Dean was proud	**of** Jill.)
1. Jill wasn't the only pupil	**who**	Ms Dean was proud	**of**.
2. Jill …	**that**	…	**of**.
3. Jill …	**whom**	…	**of**.
4. Jill …	**of whom**	Ms Dean was proud.	

		(You've been looking	**for** the book.)
5. Here's the book	**that**	you've been looking	**for**.
6. Here's …	**which**	…	**for**.
7. Here's …	**for which**	you've been looking.	

In der Umgangssprache steht im bestimmenden Relativsatz die Präposition an der Stelle, an der sie auch im Aussagesatz stehen würde (Beispiele 1, 2, 3, 5, 6). Aber im formellen Englisch kann die Präposition auch vor dem Relativpronomen stehen (Beispiele 4 und 7).

▲ *who* oder *that* dürfen **nicht hinter** einer Präposition stehen.

▷ Relativsätze ohne Relativpronomen *(contact clauses):* 239

e) Das Relativpronomen "whose" (The relative pronoun "whose")

That's the woman **whose** car was stolen this morning.
　　　　　　… deren …
The house **whose** windows are broken is very old.
　　　　… dessen …

Das Relativpronomen *whose* wird bei **Personen** und – vorzugsweise im formellen Englisch – bei **Dingen** verwendet. In der Umgangssprache werden bei Dingen andere Konstruktionen bevorzugt: *The house with the broken windows* … oder *The house where the windows are broken.*

239 Relativsätze ohne Relativpronomen (Contact clauses)

	Objekt	
1a. That's the film star	**who**	I saw at the airport.
Or: 1b. That's the film star		I saw at the airport.
2a. Look at this bill	**that**	my brother got yesterday.
Or: 2b. Look at this bill		my brother got yesterday.
3a. Mr Hill is the person	**who**	Fred is so angry **about**.
Or: 3b. Mr Hill is the person		Fred is so angry **about**.
4a. Where's the furniture	**that**	you want to get rid **of**?
Or: 4b. Where's the furniture		you want to get rid **of**?

Wenn in einem bestimmenden Relativsatz das Relativpronomen **Objekt** ist (Beispiele 1a–4a), wird es in der Umgangssprache sehr häufig **weggelassen** (Beispiele 1b–4b). Dies gilt auch dann, wenn es in einer Verbindung mit einer Präposition steht (Beispiele 3b und 4b). Bestimmende Relativsätze ohne Relativpronomen heißen *contact clauses.*

240 Übersicht über die Relativpronomen im bestimmenden Relativsatz

	Umgangssprache		Formelles Englisch	
	Personen	Dinge	Personen	Dinge
Subjekt	who/that	that	who	which
Objekt	-*/who/that	-*/that	whom	which
mit Präposition	-*/who/that ... + prep.	-*/that ... + prep.	prep. + whom/ whom ... + prep.	prep. + which/ which ... + prep.
„dessen/deren"	whose	whose	whose	whose

*– bedeutet: Das Relativpronomen wird weggelassen.

241 Nicht-bestimmende/Nicht-einschränkende Relativsätze (Non-defining relative clauses)

a) Our neighbour, **who** works in London, likes big cities.
We spent our last holidays in Brighton, **which** is a famous resort.

Ein nicht-bestimmender Relativsatz *(non-defining relative clause)* ist zwar auch einem Beziehungswort zugeordnet, bestimmt dieses aber nicht näher. Er enthält nur zusätzliche, ergänzende Informationen. Er ist daher für das Verständnis des Hauptsatzes entbehrlich und könnte weggelassen werden, ohne daß damit die Aussage des Hauptsatzes unklar würde.

Nicht-bestimmende Relativsätze finden sich überwiegend im formellen Englisch. In der Umgangssprache werden meist zwei Teilsätze verwendet, die durch Konjunktionen wie *and*, *but*, *because* verbunden werden:

Mr Sands, who usually smokes a lot, isn't coming to the next meeting, thank goodness. (formelles Englisch)
Mr Sands usually smokes a lot but he isn't coming to the next meeting, thank goodness. (Umgangssprache)

Nicht-bestimmende Relativsätze werden durch Kommas, Klammern, Gedankenstriche bzw. Sprechpausen vom Hauptsatz getrennt.

b) **Das Relativpronomen als Subjekt (The relative pronoun as subject)**

Our receptionist, **who** could help you, isn't here today.
Ken's shop, **which** sells foreign newspapers, isn't open today.

Bei **Personen** wird *who*, bei **Dingen** *which* verwendet.

c) **Das Relativpronomen als Objekt (The relative pronoun as object)**

Pop singer Lee – **whom** Jill had recognized at once – was staying at the same hotel.
Mrs Pond gave her daughter a beautiful black dress, **which** she'd bought in Paris.

Bei **Personen** steht *whom*, bei **Dingen** *which*.

Gliedsätze

d) **Das Relativpronomen mit Präpositionen**
   (The relative pronoun with prepositions)

   Mr Grant, **with whom** we had a conversation, has a lot of influence.
   The book-keeper, **to whom** all bills must be sent, has his office on the fourth floor.

   In nicht-bestimmenden Relativsätzen steht die Präposition in der Regel **vor** dem Relativpronomen.

▲ Miss Moore has a lot of friends, **all of whom** think she's wonderful.
                    ... die alle ...
   Here are the two applications, **both of which** seem to be unsatisfactory.
                    ... die beide ...

   of whom/of which stehen **hinter** der zugehörigen Mengenbezeichnung.

e) **Das Relativpronomen "whose" (The relative pronoun "whose")**

   Jean Armand (**whose** father is French) is a great cook.
   That's the "Wearwell" factory, **whose** owners live in Switzerland.

   Das Relativpronomen *whose* wird bei **Personen** und **Dingen** verwendet.

242 Übersicht über die Relativpronomen im nicht-bestimmenden Relativsatz

	Personen	Dinge
Subjekt	**who**	**which**
Objekt	**whom**	**which**
mit Präposition	**prep. + whom**	**prep. + which**
„dessen/deren"	**whose**	**whose**

Adverbialsätze (Adverbial clauses)

243 Adverbialsätze der Zeit (Adverbial clauses of time)

We arrived at the cinema **after** the film had started.
Don hasn't seen his classmates **since** he left school.
When we last heard from the Newmans, they were living in Texas.

Adverbialsätze der **Zeit** werden durch folgende **Konjunktionen** eingeleitet: *after* (nachdem), *as* (als), *as long as* (solange wie), *as soon as* (sobald als), *before* (bevor), *by the time* (bis), *once* (sobald, wenn), *since* (seit, seitdem), *till/until* (bis), *when* (wenn, wann, als), *whenever* (wann; jedesmal, wenn), *while* (während, solange).

▲ We'll stay here till you **get** back. As soon as Eddie **has finished** his work, we'll start.

   Auch wenn eine zukünftige Handlung ausgedrückt wird, darf im Adverbialsatz der Zeit **keine** Zeitform der Zukunft stehen.

   ▷ Gebrauch des *simple present* in Adverbialsätzen der Zeit: 129

244 Adverbialsätze des Ortes (Adverbial clauses of place)

Please leave the magazine **where** you found it.
There were a lot of tourists **wherever** we went.

Adverbialsätze des **Ortes** werden durch die **Konjunktionen** *where* (wo, wohin), *wherever* (wo/wohin auch immer) eingeleitet.

245 Adverbialsätze des Grundes (Adverbial clauses of reason)

As it is so cold today, I'll wear a coat.
Since Kathy has no money, she can't afford to go by taxi.
Carol has got to work hard **because** she's going to take the A-level exam soon.
(**Because** his wife suggested it, Jack bought a new carpet.)

Adverbialsätze des **Grundes** werden durch die **Konjunktionen** *as, since* (da), *because* (weil) eingeleitet.
Mit *as* und *since* eingeleitete Adverbialsätze werden gewöhnlich vorangestellt. *because* wird eher in nachgestellten Adverbialsätzen des Grundes verwendet.

246 Adverbialsätze des Gegensatzes (Adverbial clauses of contrast)

Even if you aren't interested in the discussion, please stay and listen.
You ought to write a letter to your English hosts, **however** short it may be.
Though (**Although**) it was very late, the dockers went on working.
Peter likes going out, **while** (**whereas**) his wife prefers staying at home.

Adverbialsätze des **Gegensatzes** werden durch folgende **Konjunktionen** eingeleitet: *even if/even though* (auch wenn), *however* + Adjektiv/Adverb (wie ... auch), *although/though* (obwohl), *whereas/while* (während).

247 "So"/"not" anstelle eines Gliedsatzes ("So"/"not" instead of a clause)

a) Will the plane be delayed? – I (don't) expect | it will.
                                                      so.

Nach den Verben *believe, do, expect, say, suppose, think* kann *so* anstelle eines Gliedsatzes stehen, wenn auf einen vorausgehenden Satz rückverwiesen wird.

b) Has the programme finished? – I hope/I'm afraid/I guess **so**.
                                      I hope/I'm afraid/I guess **not**.

Nach den Verben *be afraid, guess* (AE), *hope* wird *so* nur im **bejahten** Satz verwendet. Im **verneinten** Satz muß *not* stehen.

248 Präpositionen (Prepositions)

about
Fred told his mother *about* the coach. = von dem Trainer
Here's an article *about* oil rigs. = über Bohrinseln

| concerned about | = besorgt um | happen about | = geschehen mit |
| enthusiastic about | = begeistert von | hear about | = von/über ... hören |

above
The plane was flying *above* the clouds. = über den/oberhalb der Wolken

according to
According to the forecast, it'll rain tomorrow. = nach der/laut (Wetter)Vorhersage
Fruit prices change *according to* to the season. = je nach Jahreszeit

across
Don't run *across* the street. = über die Straße
Two girls sat *across* the table from Ian. = Ian gegenüber am Tisch

after
The policeman ran *after* the thief. = hinter dem Dieb her
Reg decided to set off *after* lunch. = nach dem Essen

against
The car crashed *against* the tree. = gegen den Baum
Most people were *against* the new office block. = gegen das neue Bürogebäude

ahead of
Tom was *ahead of* his classmates. = seinen Mitschülern voraus

along
There was a road *along* the fields. = entlang den Feldern

among
The building *among* the trees was empty. = zwischen den Bäumen
Dover is *among* Britain's oldest ports. = zählt zu den ältesten Hafenstädten

at
The bus suddenly stopped *at* the corner. = an der Ecke
Who threw the stone *at* the window? = gegen das Fenster
Fred got up *at* seven o'clock. = um sieben Uhr
The gangsters drove away *at* high speed. = mit hoher Geschwindigkeit
I've never seen Ted so hard *at* work. = bei der Arbeit

at breakfast	= beim Frühstück	at night	= nachts, bei Nacht
at Easter	= zu Ostern	at school	= in der Schule
at home	= zu Hause	at the age of	= im Alter von
at last	= endlich	at the baker's	= beim Bäcker
at least	= mindestens	at the moment	= im Augenblick
at ... miles an hour	= mit ... Meilen pro Stunde	at the same time	= gleichzeitig
		clever at	= geschickt bei/in

because of
Bob stayed at home *because of* the storm. = wegen des Gewitters

before
Joe finished the letter *before* lunch. = vor dem Essen
"Smart" comes *before* "Smith" in the list. = vor "Smith"

behind
There was a shed *behind* the house. = hinter dem Haus

below
Sue wrote her address *below* her name. = unter ihren Namen

between
David could choose *between* two offers. = zwischen zwei Angeboten

by
Mr Dean was questioned *by* a policeman. = von einem Polisten
The army attacked the camp *by* night. = während der Nacht, bei Nacht
I'll have finished my work *by* tomorrow. = bis (spätestens) morgen
Officials are paid *by* the month. = pro Monat, monatlich
You can't pass the exam *by* cheating. = dadurch, daß du mogelst
Let's go *by* bus to the airport. = mit dem Bus

close to
Helen waited *close to* the escalator. = dicht/nahe bei der Rolltreppe

down
A piece of rock fell *down* the cliffs. = die Klippen herunter

due to
The flight was cancelled *due to* bad weather. = aufgrund/wegen des schlechten Wetters

during
The shops were closed *during* the strike. = während des Streiks

except (for)
Everybody was nervous *except (for)* Tom. = außer Tom, bis auf Tom

for
The book was a present *for* the boss. = für den Chef
The two boys set off *for* a weekend trip. = zu einem Wochenendausflug
The car stopped *for* a little child. = wegen eines kleinen Kindes
The man has been unconscious *for* an hour. = seit einer Stunde
Miss Brook decided to go *for* a walk. = spazierenzugehen

for a change	= zur Abwechslung	for sale	= verkäuflich
for a long time	= lange (Zeit)	for sure	= sicherlich, gewiß
for example	= zum Beispiel	for this reason	= aus diesem Grund
for heaven's sake	= um Himmels willen	What's for lunch?	= Was gibt's zum Mittag?

from
Joe is *from* Kenya. = aus Kenia
The flight *from* Paris to Rome was delayed. = von Paris nach Rom
The hotel is closed *from* March to May. = von März bis Mai
It was a letter *from* Don. = von Don
The twins were very different *from* each other. = unterschieden sich sehr voneinander
What conclusions were drawn *from* the data? = aus den Angaben
Ted's illness stopped him *from* taking part. = hinderte ihn an der Teilnahme

in
The first telephone was made *in* the U.S.A. = in den USA
Bill Morgan left school *in* 1975. = (im Jahre) 1975
Please, wait here, I'll be back *in* a minute. = in einer Minute
Today, one *in* three Germans owns a car. = jeder dritte Deutsche
Alaska is a state rich *in* oil. = reich an Öl
He's an expert *in* the field of Indian art. = auf dem Gebiet
The instructions were given *in* French. = auf Französisch

in addition (to) = zusätzlich		in principle = im Prinzip
in case = für den Fall, daß		in the end = schließlich
in common = gemeinsam		in the evenings = abends
in fact = tatsächlich		in the long run = auf die Dauer
in general = im allgemeinen		in the picture = auf dem Bild
in love = verliebt		in the street = auf der Straße
in my opinion = meiner Meinung nach		in those days = damals
in particular = besonders		in town = in der Stadt

in favour of
Are you *in favour of* commercial TV? = für ein kommerzielles Fernsehen

in front of
The car was parked *in front of* the hotel. = vor dem Hotel

inside
Some guests *inside* the disco shouted for help. = in/innerhalb der Diskothek

in spite of
Tim went to work *in spite of* his pain. = trotz seiner Schmerzen

instead of
Jerry used nails *instead of* screws. = anstelle von/anstatt Schrauben

into
Don't throw the plastic bag *into* the fire. = ins Feuer
Abe will get *into* trouble with Kate. = Ärger bekommen mit

like
That man looks *like* a film star. = wie ein Filmstar

near
There was a lake *near* the youth hostel. = nahe/bei der Jugendherberge

next to
One flat is *next to* the other. = neben der anderen

of
The loss *of* her watch made Judy unhappy. = der Verlust ihrer Uhr
The songs *of* the Beatles are known everywhere. = die Lieder der Beatles
The ring was made *of* gold. = aus Gold
Would you like a cup *of* tea? = eine Tasse Tee
Harlem is north *of* Central Park. = nördlich des Central Park
Mrs Lee died *of* a serious illness. = an einer schweren Krankheit

conscious of = (einer Sache) bewußt		make a good job of = gute Arbeit leisten
full of = voll von, voller		proud of = stolz auf
independent of = unabhängig von		typical of = typisch für

off
Paul fell *off* the pony.	= vom Pony (herunter)
off duty	= dienstfrei

on
There were some photos *on* the wall.	= an der Wand
The arrow hit the buffalo *on* the head.	= am Kopf
London is *on* the Thames.	= an der Themse
The meeting was held *on* Wednesday.	= am Mittwoch
Bill has been *on* holiday for a week now.	= im Urlaub
Tim was keen *on* his new job.	= von seiner neuen Stellung begeistert
The mayor's report was based *on* facts.	= auf Tatsachen
Rachel is *on* the anti-drug committee.	= im Anti-Drogen-Komitee

on (+ number)	= unter (der Nummer)	on the outskirts	= am Stadtrand
on board a ferry	= an Bord einer Fähre	on the radio	= im Radio
on foot	= zu Fuß	on the telephone	= am Telefon
on her/his own	= allein	on the train	= im Zug
on the left/right	= links/rechts	be on strike	= streiken
on the other hand	= andererseits	dependent on	= abhängig von

onto
The Indians jumped *onto* their horses.	= auf ihre Pferde

opposite
The pub is *opposite* the theatre.	= gegenüber dem Theater

out of
Peggy was looking *out of* the window.	= aus dem Fenster
Alan got 18 marks *out of* 20.	= 18 von 20 Punkten
out of work	= arbeitslos
That's out of the question.	= Das kommt nicht in Frage.

outside
The tourists waited *outside* the museum.	= draußen vor dem Museum

over
The plane circled *over* the airport.	= über dem Flughafen
Bikes have got some advantages *over* cars.	= gegenüber Autos

over there	= da drüben	all over the world	= in der ganzen Welt

past
Walk *past* the museum and turn left then.	= am Museum vorbei
They arrived at three minutes *past* five.	= drei Minuten nach fünf (Uhr)

per
The average speed is 40 miles *per* hour.	= pro Stunde

round
The earth moves *round* the sun.	= um die Sonne

since
Helen has been waiting *since* nine o'clock.	= seit neun Uhr

through
The train was going *through* a tunnel.	= durch einen Tunnel

throughout
Abe liked smoking *throughout* his life.	= sein ganzes Leben lang
There were strikes *throughout* the country.	= überall im Land

till
The café is open *till* ten o'clock.	= bis zehn Uhr

to
The president flew *to* New York last week.	= nach New York
Reg wrote a card *to* his friend.	= an seinen Freund
The train arrived at a quarter *to* ten.	= dreiviertel zehn, ein Viertel vor zehn
Liz worked hard from morning *to* night.	= vom Morgen bis zum Abend
Both girls were quite similar *to* each other.	= einander ziemlich ähnlich
The key *to* the door was gone.	= für die/zu der Tür

accustomed to	= gewöhnt an	inferior to	= unterlegen
a right to	= ein Recht auf	superior to	= überlegen
a visit to	= ein Besuch bei	thanks to the fee	= dank des Honorars
draw attention to	= aufmerksam machen auf	the answer to	= die Antwort auf
		welcome to	= willkommen in

towards
The crowd moved *towards* the bus.	= auf den Bus zu
Don's attitude *towards* his family was strange.	= seiner Familie gegenüber

under
The purse was found *under* the sofa.	= unter dem Sofa

unlike
Unlike her brother, Sue was quite ambitious.	= im Gegensatz zu ihrem Bruder

until
Until 1948, India was a British colony.	= bis (zum Jahre) 1948

up
The old dog crept *up* the stairs slowly.	= die Stufen/Treppen hinauf

up to
Lynn watched TV *up to* four hours a day.	= bis zu vier Stunden

via
Bill travelled to Chicago *via* New York.	= über New York

with
A family *with* four children moved in.	= mit vier Kindern
Jock cut the branch *with* a knife.	= mit einem Messer
Mr Burnette still lives *with* his sister.	= bei seiner Schwester
The injured girl cried *with* pain.	= vor Schmerzen
With all her faults, Abe loved his wife.	= trotz aller ihrer Fehler

within
The flat was decorated *within* three days.	= innerhalb von drei Tagen
The rivers *within* ten miles were polluted.	= im Umkreis von zehn Meilen

without
Alex left the room *without* permission.	= ohne Erlaubnis

Wortbildung (Word formation)

📖 Bei der Bildung neuer Wörter aus bekannten lassen sich im wesentlichen vier Möglichkeiten unterscheiden:
1. Zusammensetzung
2. Hinzufügen von Vorsilben
3. Hinzufügen von Nachsilben
4. Konversion

249 Komposita (Compound words)

Komposita entstehen aus der Zusammensetzung von zwei oder mehr Wörtern. Sie können zusammengeschrieben, durch Bindestrich verbunden oder getrennt geschrieben werden. Für die Schreibweise gibt es kaum feste Regeln. Bei vielen Komposita wird das erste Wort betont.

a) Zusammengesetzte Nomina (Compound nouns)

1. Nomen + Nomen
   bedroom, ticket-office, weather forecast, air traffic controller
2. Gerundium + Nomen (häufig mit Bindestrich)
   chewing-gum, playing-field, sailing-ship, calculating machine; air-conditioning, baby-sitting, rock-climbing, dressmaking
3. Adjektiv + Nomen
   blackboard, madman, long jump

b) Zusammengesetzte Adjektive (Compound adjectives)

1. Nomen + Adjektiv
   seasick, fire-proof, pollution-free, world-wide
2. Nomen + Partizip
   breathtaking, record-breaking, handmade, air-conditioned
3. Adjektiv + Adjektiv (zumeist mit Bindestrich)
   Anglo-American, Franco-German, dark-brown, light-blue
4. Adjektiv/Adverb + Partizip (zumeist mit Bindestrich)
   English-speaking, good-looking, ready-made, well-dressed
5. Zahlwort + Nomen (+ Adjektiv) (zumeist mit Bindestrich)
   a 3-hour trip, a ten-mile walk, a 5-year-old girl

250 Vorsilben (Prefixes)

Durch die Hinzufügung von Vorsilben kann von einem Nomen, Adjektiv, Adverb oder Verb ein neues Wort mit veränderter Bedeutung gebildet werden. Die Wortart ändert sich dabei in der Regel nicht.

a) Vorsilben, die das Gegenteil ausdrücken

dis-: disadvantage, dissatisfied, disagree, disappear
in- (im-, il-, ir-): independence, impossible, illegal, irregular
non-: nonsense, non-smoker, non-stop, non-European
un-: unemployment, unconscious, unfortunately, unload

b) Vorsilben, die einen höheren oder geringeren Grad ausdrücken

over- (zuviel): overtime, over-careful, overcrowded, overload
sub- (nicht ganz, unterhalb): sub-standard, subhuman, subnormal
super- (größer als): superman, supermarket, superstar, supersonic

c) Vorsilben, die Ablehnung oder Zustimmung ausdrücken

anti- (gegen): anti-apartheid, anti-crime, anti-war, anti-social
pro- (für): pro-government, pro-Indian, pro-integration, pro-smoking

d) Vorsilben, die einen örtlichen Bezug ausdrücken

inter- (zwischen): inter-city, inter-school, international
sub- (unter): submarine, subway
trans- (von einer Stelle zur anderen, jenseits von): transport, transatlantic, transfer, transmit

e) Vorsilben, die einen zeitlichen Bezug ausdrücken

ex- (früher): ex-president, ex-wife
post- (nach, auf etwas folgend): post-war, postgraduate
pre- (vor): precondition, prehistoric, pre-school, pre-war, pre-1980
re- (noch einmal): reconstruction, rebuild, recycle, redo, retell

f) Vorsilbe, die ausdrückt, daß etwas schlecht oder falsch ist oder gemacht wird

mis-: miscalculation, misleading, misunderstand

251 Nachsilben (Suffixes)

Mit Hilfe von Nachsilben lassen sich Nomina, Adjektive und Verben von anderen Wortarten bilden.

a) Nomina

1. **-ation (-tion, -sion); -ment**: Nomina von Verben

   educate → education, justify → justification, organize → organization;
   pollute → pollution; decide → decision
   arrange → arrangement, move → movement, punish → punishment

   Solche Nomina drücken häufig einen **Vorgang** oder einen **Zustand** aus.

-er/-or: Nomina von Verben

teach → teacher, work → worker, drive → driver; act → actor, visit → visitor

Diese Nomina bezeichnen häufig **Berufe** oder **Personen**, die eine **Tätigkeit** ausüben.

2. -ness: Nomina von Adjektiven

clever → cleverness, polite → politeness, happy → happiness, tired → tiredness

Solche Nomina drücken eine **Eigenschaft** oder einen **Zustand** aus.

3. -ist: Nomina von Nomina, Verben und Adjektiven

journal → journalist, machine → machinist, type → typist, active → activist

Diese Nomina bezeichnen einen **Beruf** oder die **Zugehörigkeit** zu einer **Gruppe**.

▷ Gattungsnamen: 1 b

b) **Adjektive**

1. -ful/-less: Adjektive von Nomina

care → careful/careless, help → helpful/helpless, success → successful, child → childless

Die Adjektive auf *-ful* drücken aus, daß etwas **vorhanden** ist, die auf *-less*, daß etwas **fehlt**.

2. -able: Adjektive von Verben

drink → drinkable, eat → eatable, read → readable, accept → acceptable

Diese Adjektive drücken aus, daß etwas **möglich** ist oder **empfohlen** werden kann.

c) **Verben von Adjektiven**

-ize: legal → legalize, modern → modernize, popular → popularize

Diese Verben drücken aus, daß sich ein **Zustand verändert** oder daß etwas **bewirkt** wird.

▷ Bildung der *-ing form:* 113
▷ Bildung des Partizips Perfekt: 114, 115
▷ Bildung der Adverbien: 48

252 Konversion (Conversion)

Von Konversion spricht man, wenn ein Wort von einer Wortart in eine andere übergeht, ohne daß eine Vor- oder Nachsilbe hinzugefügt wird. So kann ein und dasselbe Wort mehreren Wortarten angehören, z. B.

a) Nomen und Verb: Let's go to Pete's shop. – I shop there from time to time.
b) Adjektiv und Nomen: What a cold day! – No wonder Peter has got a bad cold.
c) Adjektiv und Verb: These clothes are dry. – The other clothes will soon dry.
d) Adjektiv, Nomen und Verb: Do you like light rooms? – You needn't switch on the light yet. – Let's light a candle.

253 Möglichkeiten, etwas hervorzuheben (Ways of adding emphasis)

a) Betonung eines Einzelworts (Word stress)

My father likes football, but **I** don't like it.
That's true. I **don't** like football.
I don't really dislike football, but I don't **like** it either.
I like basketball, but I don't like **football**.

Jedes Wort eines englischen Satzes kann am einfachsten dadurch hervorgehoben werden, daß es beim Sprechen besonders stark betont wird. Häufig ergeben sich durch unterschiedliche Betonungen Bedeutungsveränderungen.

▲ He's **the** [ðiː] footballer in our school.
Er ist **der** (= der beste) Fußballspieler unserer Schule.

Wenn man den bestimmten Artikel *the* betont, wird er auch vor einem Konsonanten [ðiː] gesprochen.

b) "Do/does/did" + Infinitiv ("Do/does/did" + infinitive)

1. You haven't tidied your room yet. – But I **have** tidied it.
   Aber ich habe es doch aufgeräumt!
2. But I **do** know him.
   Aber ich kenne ihn wirklich!
3. Jill doesn't listen to what I say. – Oh yes, she **does** listen.
   O doch, sie hört zu!
4. I didn't say eight o'clock. – But you **did** say eight o'clock.
   Natürlich hast du acht Uhr gesagt!
5. Where's your homework, Mike? – I **did** do it but I've forgotten my exercise book.
   Ich habe sie wirklich gemacht, aber ...
6. **Do** have another cake.
   Nehmen Sie doch noch ein Stück Kuchen!
7. **Do** be quiet!
   Seid doch endlich leise!

Steht in einem Aussagesatz nicht, wie in Beispiel 1, ein anderes Hilfsverb zur Verfügung, werden *do/does/did* verwendet, um dem folgenden Verb besonderen Nachdruck zu verleihen. Diese Form der Hervorhebung wird vor allem dann benutzt, wenn eine Aufforderung oder eine Anweisung verstärkt werden soll (Beispiele 6 und 7). *do/does/did* wird in solchen Sätzen immer stark betont.

c) Nomen/Pronomen + verstärkendes Pronomen (Noun/Pronoun + emphasizing pronoun)

Judy **herself** saw the explosion. **Oder:** Judy saw the explosion **herself**.
Dad can't help you – you must do it **yourselves**, children.

Mit Hilfe eines verstärkenden Pronomens kann ein vorausgehendes Nomen oder Pronomen hervorgehoben werden (vgl. 70).

d) **Fragewörter + "ever", "on earth" usw.
(Question words + "ever", "on earth", etc.)**

Who ever heard such a story before?
Wer hat denn je ...?
Why on earth didn't you ask for help?
Warum hast du denn bloß nicht ...?

What the devil is your bike doing in the kitchen?
Was zum Teufel hat denn dein Fahrrad in der Küche zu suchen?

Fragen, die Gefühlsäußerungen wie Überraschung, Aufregung oder Zorn ausdrücken, kann besonderer Nachdruck verliehen werden, indem man an ein Fragewort *ever* oder Wendungen wie ... *the devil*, ... *the hell*, ... *in all the world*, ... *in heaven's name*, ... *on earth* usw. anschließt.

e) **Inversion (Inversion)**

Never have I watched a more exciting film.
No sooner had Peggy arrived than she began to cry.
Under no circumstances did she want to see her friend again.

Einige Adverbien und Adverbialbestimmungen mit einschränkender oder negativer Bedeutung können am Satzanfang stehen und damit besonders betont werden. Die Wortstellung entspricht der von Fragesätzen (vgl. 77).

Zu diesen Adverbien und Adverbialbestimmungen gehören *hardly, in no way, never, no sooner, not only, not till (Sunday), nowhere, only (once), rarely, under no circumstances*.

✱ f) **In came** Mr Murphy.
Out went the light.

In der Umgangssprache können zur besonderen Betonung Ortsadverbien wie *down, in, out, up* an den Beginn kurzer Sätze gestellt werden (vgl. 79 b).

g) **"It's/It was" + Nomen/Pronomen + Relativsatz
("It's/It was" + noun/pronoun + relative clause)**

1. **It's Tina who** always starts the argument, not Tom.
2. **It wasn't us who** did the damage.
3. I guess **it's the headmaster (who)** you'll have to ask, not the class teacher.
4. **It's her voice (that)** I like most.
5. **It was in New York that** I first met Marilyn, not in Chicago.

Durch *it's/it was* + Nomen oder Pronomen + Relativsatz kann entweder das Subjekt (Beispiele 1 und 2), das Objekt (Beispiele 3 und 4) oder eine Adverbialbestimmung eines Satzes (Beispiel 5) besonders hervorgehoben werden. Diese Form der Verstärkung wird vor allem dann verwendet, wenn ein Gegensatz ausgedrückt werden soll.

▲ Personalpronomen stehen in der Objektform *(us* statt *we).*

▷ Hervorhebung durch *always + present progressive:* 136

Englische Entsprechungen für „lassen; müssen; sollen; wollen/mögen, daß …"

„lassen"

Das deutsche Verb „lassen" hat mehrere Bedeutungen. Im Englischen werden sie durch unterschiedliche Verben bzw. andere Sprachmittel ausgedrückt:

a) etwas zulassen/erlauben: *allow/permit somebody to do something*
   let somebody do something

   After a few days the doctor **allowed**/**permitted** the patient to go home.
   Nach ein paar Tagen ließ der Arzt den Patienten nach Hause gehen.
   Tom's father **lets** him watch TV every evening.
   Toms Vater läßt ihn jeden Abend fernsehen.

b) etwas vorschlagen: *let's do something*

   Don't **let's** talk about that again. **Let's** talk about something else.
   Laßt uns nicht nochmals darüber reden. Reden wir doch über etwas anderes.

c) jemanden zu etwas veranlassen: *make/have somebody do something*
   cause somebody to do something

   The customs officer **made** him open his suitcase.
   Der Zollbeamte ließ ihn den Koffer öffnen.
   Mr Collins often **has** his pupils open the windows.
   Mr Collins läßt seine Schüler oft die Fenster öffnen.
   What **caused** the mayor to change his mind so quickly?
   Was veranlaßte den Bürgermeister, seine Meinung so schnell zu ändern?

d) veranlassen, daß etwas von jemand anderem getan wird: *have/get something done*

   The Smiths are going to **have** their living-room decorated.
   Die Smiths wollen ihr Wohnzimmer tapezieren lassen.
   Rosemary **got** new tyres put on her car.
   Rosemary ließ bei ihrem Wagen neue Reifen montieren.

e) einen Zustand lassen, wie er ist; } *leave something/somebody (doing)*
   etwas zurück-, hinter-, belassen: } *keep somebody doing*

   Barry **left** his tools in the garage.
   Barry ließ sein Werkzeug in der Garage (liegen).
   While Mr Bates was cleaning the car windows, he **left** the engine running.
   Während Mr Bates die Autofenster saubermachte, ließ er den Motor laufen.
   The driver **left** the injured boy lying on the street.
   Der Fahrer ließ den verletzten Jungen auf der Straße liegen.
   Don't **keep** me waiting.
   Laß mich nicht warten.

f) Passivsätze mit *can: something can be done*

This shirt **can be washed** easily.
Dieses Hemd läßt sich leicht waschen.

g) Idiomatische Wendungen:

Laß das!	*Stop it.*
Laß mich in Ruhe!	*Leave me alone.*
Lassen Sie die Polizei kommen.	*Call the police.*
Lassen Sie einen Arzt kommen.	*Send for a doctor.*
Lassen Sie mir Zeit.	*Give me time.*
Lassen Sie sich Zeit.	*Take your time.*
Es läßt sich nicht leugnen, daß …	*There's no denying (the fact) that …*

„müssen"

Die wichtigsten Entsprechungen für das deutsche Verb „müssen" sind *must, have (got) to, be bound to* + Infinitiv und *need/want* + Gerundium. Zur richtigen Verwendung sind einige Unterscheidungen nötig:

a) Unterschiedliche Verwendung von *must* und *have (got) to*   ▷ 97.2

b) Unterschiedliche Verwendung von *must* und *be bound to*

1. The lights are on, so Derek **must** still be in his office.
   Das Licht brennt, also muß Derek noch in seinem Büro sein.
   The letter has gone, so she **must** have found it.
   Der Brief ist nicht mehr da, sie muß ihn also gefunden haben.

   Mit *must* werden **Schlußfolgerungen** ausgedrückt.

2. You've worked so hard. You**'re bound to** succeed.
   Du hast so hart gearbeitet. Du mußt das ja schaffen.
   The police **are bound to** find him some day.
   Die Polizei muß ihn früher oder später finden.
   That accident **was bound to** happen.
   Dieser Unfall mußte zwangsläufig passieren.

   Mit *be bound to* drückt der Sprecher aus, daß etwas nach seiner Meinung **zwangsläufig** in der **Zukunft** geschehen muß oder in der **Vergangenheit** geschehen mußte.

c) *need/want doing*

   Your bike is dirty. It **needs cleaning**.
   Dein Fahrrad ist schmutzig. Es muß geputzt werden.
   That difficult job **wants** some **doing**.
   An dieser schwierigen Sache muß noch sehr gearbeitet werden.

   need/want doing werden verwendet, um darauf aufmerksam zu machen, daß etwas getan werden muß, um etwas zu **verbessern** oder **in Ordnung zu bringen**.

„sollen"

Dem deutschen Verb „sollen" entsprechen mehrere englische Verben:

a) Where **shall I** put my bike?
   Wo soll ich mein Fahrrad hinstellen?

   Shall I/we ... ? wird in **Fragen** verwendet, wenn man den Gesprächspartner um eine **Anweisung bittet**.

b) 1. Who **am** I **to** ask for advice? (What did the manager say?)
      Wen soll ich um Rat fragen?

   2. The park-keeper says you **aren't to** walk on the grass.
      Der Parkwächter sagt, daß ihr nicht auf dem Rasen laufen sollt.

   be to wird in **Fragen** verwendet, wenn man sich beim Gesprächspartner nach den **Anweisungen eines anderen** erkundigt (Beispiel 1), oder in **Anweisungen**, die in der Regel nicht vom Sprecher ausgehen, sondern von ihm nur **weitergegeben werden** (Beispiel 2).

c) Is Mr Jackson to come in?
   Do you **want Mr Jackson to come** in?   Soll Mr Jackson hereinkommen?
   Would you **like him to come** in?

   want/would like somebody to do something werden als **Varianten** zu *be to* verwendet.

d) 1. You**'re supposed to** do your homework regularly.
      Du sollst deine Hausaufgaben regelmäßig machen.

   2. I**'m supposed to** meet Jim at the swimming-pool.
      Ich soll Jim im Schwimmbad treffen.

   be supposed to drückt aus, was jemand tun soll, weil es seine **Pflicht** ist (Beispiel 1) oder weil es **vereinbart** wurde (Beispiel 2).

e) He**'s supposed/believed/considered/said to** be one of the best writers of Europe.
   Er soll einer der besten Schriftsteller Europas sein.

   The meals at that new restaurant are excellent, **they say**.
   Das Essen in dem neuen Restaurant soll hervorragend sein.

   be supposed/believed/considered/said/thought to oder ... *they say* werden verwendet, um auszudrücken, was nach **allgemeiner Meinung** oder Auffassung der Fall sein soll.

f) The book **is meant to** be a birthday present for Paul.
   Das Buch soll ein Geburtstagsgeschenk für Paul sein.

   be meant to drückt aus, welchem **Zweck** etwas dienen soll.

g) Tom **should**/**ought to have driven** more carefully.
Tom hätte vorsichtiger fahren sollen.

should/ought to have done something drückt aus, was jemand **hätte tun sollen**.

h) Idiomatische Wendungen:

Das sollst du mir bezahlen.	*I'll make you pay for it.*
Na schön, du sollst deinen Willen haben.	*All right, have it your own way.*
Was soll das Weinen?	*What's the good of crying?*
Was soll denn der Lärm?	*What's all that noise about?*

„wollen/mögen, daß …"

Nach „wollen/mögen" steht im Deutschen häufig ein Gliedsatz mit „daß": Dies verleitet zu dem Fehler, an *want* oder *would like* einen Gliedsatz mit *that* anzuschließen. Die englischen Entsprechungen sind jedoch *want/would like somebody/something* + Infinitiv, z. B.

Willst du, daß ich Bob anrufe?
Do you **want me to ring** up Bob?

Ich möchte, daß dieser Brief noch heute aufgegeben wird.
I **would like** this letter (**to be**) **posted** today.

Eric möchte nicht, daß dies noch einmal vorkommt.
Eric doesn't **want this to happen** again.

Möchten Sie, daß auch die Hosen gereinigt werden?
Would you **like the trousers** (**to be**) **cleaned**, too?

Verzeichnis grammatikalischer Begriffe
(List of grammatical terms)

		Beispiele oder Erläuterung
abstract noun	Abstraktum	ability, education, knowledge, lie
active sentence	Aktiv(satz)	*Fred met her* at the station.
activity verb	Tätigkeitsverb	play, read, shine, work
adjective	Adjektiv	bad, good, nice, sweet
adverb of degree	Gradadverb	*extremely* important, *very* good
adverb of frequency	Häufigkeitsadverb	always, never, often, sometimes
adverb of manner	Adverb der Art und Weise	badly, carefully, quickly
adverb of place	Adverb des Ortes	here, inside, there, upstairs
adverb of time	Adverb der Zeit	now, then, tomorrow, tonight
adverbial clause of contrast	Adverbialsatz des Gegensatzes	*Though she was sad,* Sue didn't cry.
adverbial clause of place	Adverbialsatz des Ortes	I saw the house *where I was born.*
adverbial clause of reason	Adverbialsatz des Grundes	*As it was late,* Jill went to bed.
adverbial clause of time	Adverbialsatz der Zeit	*When Tony arrived,* nobody was there.
adverbial phrase	Adverbialbestimmung	5 years ago, in the street
article	Artikel	a, an, the
back-shift	Verschiebung der Tempora (Zeiten) in der indirekten Rede	Jane *said* she *was* sorry about it. She *explained* why it *had happened.*
cardinal number	Kardinalzahl	one, two, three, a hundred
clause	Gliedsatz (Teilsatz)	When he left ..., As you know, ...
collective noun	Sammelname	class, crew, family, team
command	Befehl	Wait a moment.
common noun	Gattungsname	desk, horse, man, stone, tree
comparative	Komparativ	tall*er, more* expensive
comparison	Steigerung, Vergleich	nice – nic*er* – nic*est*
compound adjective	zusammengesetztes Adjektiv	seasick, world-wide
compound noun	zusammengesetztes Nomen	check-in counter, window seat
concord of nouns	Übereinstimmung von Nomen, Verb und Bestimmungswort	*Tim is* meeting *his* friend Peter tonight.
conjunction	Konjunktion	although, because, if, when
contact clause	Relativsatz ohne Relativpronomen	Jeff is the boy *she likes best.*
contracted form	Kurzform	I*'m,* we*'re,* isn*'t,* they*'d,* you*'ll*
conversion	Konversion (Übergang von einer Wortart in eine andere)	a *correct* answer (Adjektiv) (to) *correct* a test (Verb)
countable	zählbarer Begriff	houses, ideas, women
defining relative clause	bestimmender (einschränkender) Relativsatz	That's the driver *who caused the accident.*
definite article	bestimmter Artikel	the
demonstrative pronoun	Demonstrativpronomen	this, that, these, those
determiner	Bestimmungswort	a, four, many, my, some, this
direct object	direktes Objekt	Have you read *the article?*
direct speech	direkte Rede	He said: *"I'm sorry I'm late."*

emphasis	Hervorhebung	Kate *did* tell you the truth.
emphasizing pronoun	verstärkendes Pronomen	Alan *himself* rang me up.
female	Femininum	girl-friend, waitress, aunt
finite form	finite Form (veränderbare Verbform)	He *learns* English. They *learned* French.
full form	Langform	I *am*, we *are*, it *is not*, you *will*
gender of nouns	Geschlecht der Nomina	he (boy), she (girl), it (table)
geographical name	geographische Bezeichnung	France, Rome, Hyde Park, Fleet Street
gerund	Gerundium	I like *dancing*. *Dancing* is fun.
idiomatic expression	idiomatische Wendung	have fun, strictly speaking, ...
if-clause	if-Satz (Bedingungssatz)	*If you go there*, let me know.
imperative	Imperativ (Befehlsform)	Look more carefully.
indefinite article	unbestimmter Artikel	a, an
indirect object	indirektes Objekt	He told *me* a funny story.
infinitive	Infinitiv	(to) eat, (to) see, (to) be sold
inversion	Inversion	Never again *would he do* that.
irregular verb	unregelmäßiges Verb	give – *gave* – *given*
level stress	doppelter Akzent	'seven'teen, apple pie ['-'-]
main clause	Hauptsatz	*She got angry* when he laughed.
main verb	Vollverb	learn, play, think, write
male	Maskulinum	boy-friend, actor, husband
material noun	Stoffname	air, bread, milk, sand, wood
modal	modales Hilfsverb	can, may, must, shall, will
nationality noun	Völkername	a Dane, an Englishman, a Swiss
negative sentence	verneinter Satz	He *doesn't know* anything.
neuter	Neutrum	banana, spider, influence
non-defining relative clause	nicht-bestimmender (nicht-einschränkender) Relativsatz	Terry, *who works there,* should know more about the facts.
non-finite form	infinite Form (nicht-veränderbare Verbform)	(to) ride, riding, ridden
noun	Nomen (Substantiv)	book, fridge, milk, pain
noun phrase	nominale Fügung	my best friend, a boy with a tie
object form	Objektform	me, him, her, us, them
of-phrase	of-Fügung	a glass *of wine*, no bed *of my own*
ordinal number	Ordinalzahl	first, second, third, hundredth
pair noun	"Paarwort"	glasses, jeans, shorts, tights
participle clause	Partizipialfügung	*If told to leave,* I would go.
passive sentence	Passiv(satz)	America *was discovered* in 1492.
past participle	Partizip Perfekt	caused, seemed; gone, written
perfect infinitive	Infinitiv Perfekt	(to) have made, (to) have been told
personal pronoun	Personalpronomen	I, you, he, she, it, we, they
phrasal verb	feste Verb-Adverb-Verbindung	get up, go ahead, take off
plural	Plural	words, boxes, knives, men
plural noun	Nomen, das nur im Plural steht	outskirts, stairs, wages; police
positive sentence	Aussagesatz	He *works* for a computer firm.
possessive adjective	adjektivisch gebrauchtes Possessivpronomen	my, your, his, her, its, our, their

possessive form	Possessivform	*Jane's* bike, the *Johnsons'* car
possessive pronoun	nominal gebrauchtes Possessivpronomen	mine, yours, his, hers, its, ours, theirs
prefix	Vorsilbe	*dis*agree, *non*-stop, *re*build, *un*able
preposition	Präposition	about, after, at, by, in, on, with
prepositional verb	präpositionales Verb	get into, look forward to, wait for
present participle	Partizip Präsens	(be) listening, (be) reading
primary auxiliary	Hilfsverb	be, do, have
pronoun	Pronomen	he, his, him, this, that, who
pronunciation	Aussprache	
proper noun	Eigenname	Anne, Miller, Spain, Monday, June
prop-word	Stützwort	... an old *one* and two new *ones*.
quantifier	Mengenbezeichnung	any, each, every, many, much, some
question	Frage(satz)	*Where does he work?*
question tag	Frageanhängsel	You like French, *don't you?*
question word	Fragewort	what, when, which, who, why
reflexive pronoun	Reflexivpronomen	myself, herself, ourselves
regular verb	regelmäßiges Verb	listen – listen*ed* – listen*ed*
relative clause	Relativsatz	The car *that overtook us* was a Ford.
reported speech	indirekte Rede	He said *he wouldn't come.*
s-genitive	s-Genitiv	Jill's question, the Deans' flat
singular	Singular	lamp, shelf, tooth, mouse
singular noun	Nomen, das nur im Singular steht	advice, homework, knowledge; news
spelling	Schreibung	
statement	Aussagesatz	They (don't) like the new mayor.
speech intention	Sprechabsicht	advice, permission, offer, request
state verb	Zustandsverb	contain, have (got), matter, seem
subject	Subjekt	*Pat* must have found the key.
subject form	Subjektform	I, he, she, we, they
suffix	Nachsilbe	count*able*, end*less*, real*ize*, use*ful*
superlative	Superlativ	tall*est*, most expensive
syllable	Silbe	"Terminal" has got three syllables.
tense	Tempus (Zeitform)	present perfect, simple past
uncountable	nicht-zählbarer Begriff	bread, oil, pollution; news
unvoiced sound	stimmloser Laut	[p], [t], [k], [f], [θ]
verb	Verb	hear, like, learn, own, think
verb expressing the result of a mental process	Verb, das das Ergebnis einer geistigen Tätigkeit ausdrückt	agree, know, understand
verb expressing an emotional state	Verb, das eine gefühlsmäßige Einstellung ausdrückt	hate, like, love, want
verb of perception	Verb der Sinneswahrnehmung	feel, hear, see, smell, taste
voiced sound	stimmhafter Laut	[b], [d], [g], [ŋ], [ɑː], [əʊ]
word formation	Wortbildung	legal: legal*ize*, *i*/legal.
word order	Wortstellung	
word stress	Betonung eines Einzelworts	Rose *likes* parties.

Unregelmäßige Verben (Irregular verbs)

Simple present	Simple past	Present perfect
I'm, you're, he's	I was, you were	I've been, he's been
I beat	I beat	I've beaten
I become	I became	I've become
I begin	I began	I've begun
I bet	I bet	I've bet
I bite	I bit	I've bitten
I blow	I blew [uː]	I've blown
I break [eɪ]	I broke	I've broken
I bring	I brought [ɔː]	I've brought
I broadcast [ɑː]	I broadcast	I've broadcast
I build	I built	I've built
it bursts [ɜː]	it burst	it's burst
I buy	I bought [ɔː]	I've bought
I catch	I caught [ɔː]	I've caught
I choose [uː]	I chose [əʊ]	I've chosen
I cling	I clung [ʌ]	I've clung
I come	I came	I've come
it costs	it cost	it's cost
I creep	I crept	I've crept
I cut	I cut	I've cut
I deal [iː]	I dealt [e]	I've dealt
I dig	I dug [ʌ]	I've dug
I do [uː], he does [ʌ]	I did	I've done [ʌ]
I draw	I drew [uː]	I've drawn
I dream	I dreamt [e]	I've dreamt
I drink	I drank	I've drunk
I drive	I drove	I've driven [ɪ]
I eat	I ate [e]	I've eaten
I fall	I fell	I've fallen
I feed	I fed	I've fed
I feel	I felt	I've felt
I fight	I fought [ɔː]	I've fought
I find	I found	I've found
I fly	I flew [uː]	I've flown [əʊ]
I forget	I forgot	I've forgotten
I freeze	I froze	I've frozen
I get	I got	I've got
I give	I gave	I've given
I go	I went	I've gone [ɒ]
I grow	I grew [uː]	I've grown
I have, he has; I've got	I had	I've had
I hang	I hung	I've hung
I hear [ɪə]	I heard [ɜː]	I've heard
I hide	I hid	I've hidden
I hit	I hit	I've hit
I hold	I held	I've held
I hurt [ɜː]	I hurt	I've hurt
I keep	I kept	I've kept
I know	I knew [juː]	I've known
I lay	I laid [eɪ]	I've laid
I lead	I led	I've led

Simple present	Simple past	Present perfect
I lean [iː]	I leant [e]	I've leant
I leave	I left	I've left
I lend	I lent	I've lent
I let	I let	I've let
I lie	I lay [eɪ]	I've lain [eɪ]
I light	I lit	I've lit
I lose [uː]	I lost [ɒ]	I've lost
I make	I made	I've made
I mean	I meant [e]	I've meant
I meet	I met	I've met
I pay	I paid [eɪ]	I've paid
I put [ʊ]	I put	I've put
I quit	I quit	I've quit
I read	I read [e]	I've read [e]
I ride	I rode	I've ridden
I ring	I rang	I've rung
it rises	it rose	it's risen [ɪ]
I run	I ran	I've run
I say	I said [e]	I've said
I see	I saw	I've seen
I sell	I sold	I've sold
I send	I sent	I've sent
I set off	I set off	I've set off
I sew [əʊ]	I sewed	I've sewn
I shake	I shook [ʊ]	I've shaken
it shines	it shone [ɒ]	it's shone
I shoot	I shot	I've shot
I show	I showed	I've shown
I shut	I shut	I've shut
I sing	I sang	I've sung
I sink	I sank	I've sunk
I sit	I sat	I've sat
I sleep	I slept	I've slept
I slide	I slid	I've slid
I speak	I spoke	I've spoken
I spend	I spent	I've spent
I spit	I spat	I've spat
I spread [e]	I spread	I've spread
I stand	I stood [ʊ]	I've stood
I steal	I stole	I've stolen
I stick	I stuck	I've stuck
it stinks	it stank	it's stunk
it strikes	it struck	it's struck
I swim	I swam	I've swum
I swing	I swung	I've swung
I take	I took [ʊ]	I've taken
I teach	I taught [ɔː]	I've taught
I tear [eə]	I tore	I've torn
I tell	I told	I've told
I think	I thought [ɔː]	I've thought
I throw	I threw [uː]	I've thrown
I wake up	I woke up	I've woken up
I wear [eə]	I wore	I've worn
I win	I won [ʌ]	I've won
I write	I wrote	I've written

Register

Die Zahlen verweisen auf die entsprechenden Paragraphen, ein „S." vor der Zahl verweist auf die Seite.
Adj.=Adjektiv · Adv.=Adverb · fem.=feminin · Konj.=Konjunktion · mask.=maskulin · Part.=Partizip ·
Pl.=Plural · Präp.=Präposition · Pron.=Pronomen · Sing.=Singular

A

a, an 31-35
~ als Bestimmungswort 2
Abstraktum 1e
~ mit adjektivisch gebrauchtem Possessivpronomen 44b
~ mit bestimmtem Artikel 24
~ ohne bestimmten Artikel 24
Adjektiv 36-45
~, attributiver Gebrauch 36
~ bei Eigennamen 25b
~ mit der Endung *-ly* 48e
~ nach *somebody* usw. 59c
~, nominaler Gebrauch 37-38
~ oder Adverb nach bestimmten Verben 51
~ + Gerundium 205b
~ + Präp. + Gerundium 204b
~, prädikativer Gebrauch 36, 48f
~, Schreibung der Steigerungsformen 41
~, Steigerung mit *-er/-est* 40
~, Steigerung mit *more/most* 40
andere Formen der ~ 42
~ vor dem Infinitiv 191
Bildung von ~ mit Hilfe von Nachsilben 251b
unterschiedliche Verwendung von ~ und Adverb 46
vom ~ abgeleitetes Adverb 47
Wortbildung mit Hilfe von ~ 249a, b
zusammengesetztes ~ 249b
adjektivisch gebrauchtes Possessivpronomen 44-45
~ nach *somebody* usw. 61
~ + *own* 45
Adverb 46-58
~ der Art und Weise 55a
~ der bestimmten Häufigkeit 55c
~ der unbest. Häufigkeit 55c
~ der Zeit 55b
~ im s-Genitiv 21
~ des Ortes 55b
~ mit Inversion 79b, 253f
~ mit der Form eines Adj. 47, 49
~ mit zwei Formen 50
~ oder Adj. nach bestimmten Verben 51
~, Steigerung mit *-er/-est* 52
~, Steigerung mit *more/most* 52
andere Formen der ~ 53
Arten der ~ 55
Bildung der ~ 48
Inversion nach bestimmten ~ 79, 253e, f
Stellung der ~ im Satz 56-57

unterschiedliche Verwendung von Adjektiv und ~ 46
ursprüngliches ~ 47
vom Adjektiv abgeleitetes ~ 47
Wortbildung mit Hilfe von ~ 249b
Adverbialbestimmungen 47
~ bei Adj. mit d. Endung *-ly* 48e
Inversion nach bestimmten ~ 79, 253e
Stellung der ~ im Satz 56-57
Veränderung der ~ in der indir. Rede 231
Adverbialsätze 243-246
~ der Zeit 129, 153b, 159.2, 243
~ des Gegensatzes 246
~ des Grundes 245
~ des Ortes 244
a few als Bestimmungswort 2
~ bei zählbaren Begriffen 62
~ + nominal gebrauchtes Possessivpronomen 67b
~, Steigerung 42
after (Konj.) 243
~ (Präp.) 248
Aktiv des Gerundiums 202
~ des Infinitivs 189b
~ / Passiv 179
a little (Adj., Adv.)
~ bei nicht-zählbaren Begriffen 62
~, Steigerung (Adj.) 42a
~ (Adv.) 53
~, Stellung im Satz 57d
all 60b
~ + *of*-Fügung + Relativpronomen 241d
~ vor best. Artikel 29, 60b
~ vor d. Nomen im Plural 60b
~ vor d. Nomen im Singular 60b
~ vor d. Relativpron. *that* 238b
~ /*any/each/every* 60b
a lot, Steigerung 53
~, Stellung im Satz 57d
a lot of 62
~, Steigerung 42a
although (Konj.) 221, 246
always 47, 55c
~ + *present progressive* zur Hervorhebung 136
and zwischen Komparativen 43f, 54
Angebot, modale Hilfsverben z. Ausdruck eines ~ 89-91, 102
Antwort auf *who*-Frage 65b, 72b
Anweisung
do z. Verstärkung einer ~ 253b

modale Hilfsverben zum Ausdruck e. ~ 89, 91, 98, S. 147
simple present für ~ 127
any (Adj., Pron.) 59
~ im Aussagesatz 60a
~ im Fragesatz 59a, c
~ im verneinten Satz 59
~ /*each/every/all* 60b
Zusammensetzungen mit ~ 59c, 61
~ vor dem Infinitiv 194
~ vor d. Relativpron. *that* 238b
Arten der Adverbien 55
Arten der Nomina 1
Artikel 22-35
~ als Bestimmungswort 2
→ bestimmter/unbestimmter Artikel
as (Konj.) 243, 245
~ bei Vergleich im Satz 43, 54
~ *if* 221
~ *long as* 243
~ mit Objektform d. Personalpronomens 65b
~ *soon as* 243
attributiver Gebrauch des Adjektivs 36
Aussagesatz
~ in der indir. Rede 226a
~, Wortstellung 75
any im ~ 60a
some im ~ 59

B

bad + bestimmter Artikel 38a
~, Steigerung 42a
back-shift → Verschiebung der Tempora in der indir. Rede
be als Hilfsverb 81a, 82, 189b, 210a
~ als Vollverb 118a, 176a
~ nach *there* 176a
be able to 83b, 96
be about to 160, 175b
be allowed to 83b, 99, 100
be bound to 160, 175c, S. 146
because (Konj.) 245
~ *of* (Präp.) 219, 220b, 248
be certain to 160, 175c, 191b
be expected to 160, 175d, 185
Befehl
~ in der indir. Rede 230b
modale Hilfsverben zum Ausdruck eines ~ 89, 98
→ Imperativ
before (Konj.) 243
~ (Präp.) 248
be (un)likely to 160, 175c, 191b

be on the point of + Gerundium 160, 175b
bestimmender (einschränkender) Relativsatz 237-240
~ mit dem Relativpronomen als Objekt 238c, 239
~ mit dem Relativpronomen als Subjekt 238b
~ mit Präpositionen 238d, 239
~ mit *whose* 238e
~ ohne Relativpron. 237, 239 Übersicht über die Relativpronomen im ~ 240
bestimmter Artikel 22-30
~, Aussprache vor Vokalen und Konsonanten 22, 253a
~ bei Abstrakta 24a
~ bei *church, hospital* usw. 27
~ bei Eigennamen 25
~ bei Gattungsnamen im Pl. 24c
~ bei geogr. Bezeichnungen 26
~ bei nominal gebrauchten Adjektiven 37-38
~ bei Stoffnamen 24b
~ bei Zeitangaben 28
~ nach *all* usw. 29, 60b, 64a
~ vor *most* 30
Bestimmungswort 2
~ in Verbindung mit *own* 45 Übereinstimmung von Nomen, Verb und ~ 16
be supposed to 98.1, 160, 175d, 185, S. 147
be sure to 160, 175c, 191b
be to 98.4, 100.2, 160, 175a, S. 147
Betonung eines Einzelworts zur Hervorhebung 253a
better, (the) best (Adj.) 42a
~ (Adv.) 53
Bitte in der indir. Rede 230c modale Hilfsverben zum Ausdruck einer ~ 85-87, 89-91, 101, 172
both 64a
~ + *of*-Fügung + Relativpronomen 241d
~ vor best. Artikel 29, 64a
boy bei mask. Gattungsnamen 5
~ bei nominal gebrauchten Adjektiven 37b
by (Präp.) 248
~ im Passivsatz 183
~ *the time* (Konj.) 243

C
can 83-85, 96, 99.1, 101, 105
~ in der indir. Rede 228a
can't 83, 85, 96, 100, 103
~ in der indir. Rede 228a
clauses → Gliedsätze
close (Adv.) 50
~ /*closely* 50
~ *to* (Präp.) 248
collective nouns → Sammelnamen
comparison → Vergleich im Satz
compound nouns → zusammengesetzte Nomina

concord of noun → Übereinstimmung von Nomen, Verb u. Bestimmungswort
contact clause → Relativsatz ohne Relativpronomen
could 83, 86, 96, 99.1, 101, 105
~ in der indir. Rede 228b
couldn't 83, 86, 96, 100, 101, 103, 105
~ in der indir. Rede 228b
countables → zählbare Begriffe

D
daily, monthly, weekly usw. 49, 55c
defining relative clause → bestimmender Relativsatz
Demonstrativpronomen 71
~ als Bestimmungswort 2
~ mit Stützwort 39b
~ nach *both* 64a
~ ohne Stützwort 39b
determiner → Bestimmungswort
direkte Rede/indirekte Rede 224a
direktes Objekt
~ als Subjekt des Passivsatzes 184a, b
~ bei festen Verb-Adverb-Verbindungen 177c
~ bei präposit. Verben 178
~ der Personalpronomen 65a
~, Stellung im Satz 78
do als Hilfsverb 81b, 82
~ als Vollverb 176b
~ beim Imperativ 111b, c
~ zur Bildung der Frage 77
~ zur Bildung d. Verneinung 76
~ zur Hervorhebung 253a
double vor bestimmtem Artikel 29

E
each 60a
~ als Bestimmungswort 2
~ /*any/every/all* 60b
each other/one another 69
early (Adv.) 49, 55b
~, Steigerung 52
Eigennamen 1a
~ im Pl. mit best. Artikel 25a
~ im Sing. ohne best. Artikel 25b
~ + Adj. ohne best. Artikel 25b
Einladung
~ in der indir. Rede 230c modale Hilfsverben zum Ausdruck einer ~ 89, 90, 102
einschränkender Relativsatz → bestimmender Relativsatz
either 64b
elder, (the) eldest 42
end-position 56-57
-er, -est
~ zur Steigerung von Adj. 40-43
~ zur Steigerung von Adv. 52-54
Erlaubnis, modale Hilfsverben z. Ausdruck einer ~ 85-87, 99
-ess bei fem. Gattungsnamen 5
even (Konj.) 55d
~ *if* 246
~ *though* 246

every 60a
~ /*any/each/all* 60b Zusammensetzungen mit ~ 60a, 61
~ vor dem Relativpronomen *that* 238b
extra (Adv.) 49

F
Fähigkeit, modale Hilfsverben z. Ausdruck einer ~ 85, 86, 96
fair/fairly (Adv.) 50
far (Adj.) 42a
~ (Adv.) 53, 55b
farther/further (Adj.) 42
~ (Adv.) 53
farthest/(the) furthest (Adj.) 42
~ (Adv.) 53
fast (Adv.) 47, 49
~, Steigerung 52
female bei fem. Gattungsnamen 5
feste Verb-Adverb-Verbindungen 177-178
~ /präpositionale Verben 178
few/a few 62
finite/infinite Verbformen 188
for (Präp.) 248
~ mit verschiedenen Tempora 159.3
~ + Nomen/Pronomen vor dem Infinitiv 195
~ /*since* 159
Frageanhängsel 107-108
~ der modalen Hilfsverben 83c
Frage(satz)
~ in der indir. Rede 226b
~ mit *any, anybody* usw. 59a,c
~ mit *some, somebody* usw. 59
~, Wortstellung 77
~ bei Hilfsverben 82, 83c
Fragewörter 72-74
~ in der indir. Rede 226b
~ vor dem Infinitiv 193
~ + *ever* usw. zur Hervorhebung 253d
free/freely (Adv.) 50
front-position 56-57
further → *farther*
furthest → *farthest*
future perfect 160, 173-174 Bildung des ~ 173 Verwendung des ~ 174
future progressive 160, 170-172
~ für im Verlauf befindliche Handlung 171
~ für übliche oder nicht geplante Handlung 172
~ /*will-future* 171 Bildung des ~ 170
future time → Möglichkeit, ein künftiges Geschehen auszudrücken

G
Gattungsnamen 1b
~ im Pl. mit best. Artikel 24c
~ im Pl. ohne best. Artikel 24c Geschlecht der ~ 4-5

Gebäudebezeichnungen
~ mit bestimmtem Artikel 27
~ ohne bestimmten Artikel 27
geographische Bezeichnungen
~ mit bestimmtem Artikel 26
~ ohne bestimmten Artikel 26
Gerundium (*-ing form*) 188b, 201-209
~ des Passivs 186
~ mit eigenem Subjekt 208, 209
~ nach Adjektiv + Präp. 204b
~ nach bestimmten Adjektiven, Nomina, Verben 205b, c
~ nach bestimmten formelhaften Wendungen 205a
~ nach Nomen im s-Genitiv 209
~ nach Nomen + Präposition 204d
~ nach Possessivpronomen 209
~ nach Präpositionen 204a
~ nach Verb + Präposition 204c
~ nach *suggest* in der indir. Rede 230d
~ /Infinitiv nach bestimmten Verben 206
  Formen des ~ 202
  Funktionen des ~ 203
  Wortbildung mit Hilfe des ~ 249a
Geschlecht der Nomina 3-6
~ bei Fahrzeugen usw. 6
~ bei Gattungsnamen 4-5
~ bei Länder- u. Städtenamen 6
~ bei Tieren 6
get + Adjektiv 51a
~ + Objekt + Partizip Perfekt 218, S. 145
girl bei fem. Gattungsnamen 5
~ bei nominal gebrauchten Adjektiven 37b
Gliedsätze 232-247
~ bei Vergleich im Satz 43d, 54b
~, Stellung bei festen Verb-Adv.-Verbindungen 177c
~ zur Wiedergabe von Einladungen usw. in der indir. Rede 230c, d
  so/not anstelle eines ~ 247
  → Adverbialsätze, *if-*Sätze, Relativsätze
going to-future 160-163
~ bei mit Sicherheit eintretendem Ereignis 163
~ zum Ausdruck e. Absicht 162
~ */will*-future 167
  Bildung des ~ 161
good 48f
~ + bestimmter Artikel 38
~, Steigerung 42a
Gradadverbien 55d
  Stellung der ~ im Satz 57d

H
had better 104
~ in der indir. Rede 228b
Häufigkeitsadverbien 55c
  Stellung der ~ im Satz 57c, f

half vor bestimmtem Artikel 29
~ vor unbest. Artikel 34a
hard (Adv.) 47
~ */hardly* 50
hardly 55d
~ + Inversion 79a, 253e
have als Hilfsverb 81c, 82, 189b, 210
~ *(got)* als Vollverb 118a, 176c
~ + Nomen 176c
~ + Objekt + Infinitiv 199, S. 145
~ + Objekt + Partizip Perfekt 218a, S. 145
have (got) to 83b, 97, S. 146
~ */must* 97.2
he 65a
her als adjektivisch gebrauchtes Possessivpronomen 44-45
~ als Personalpronomen 65
~ bei Vergleich im Satz 43, 54
here (Adv.) 55b, 79b, 130
~ in der indir. Rede 231a
hers 67
herself als Reflexivpronomen 68a
~ als verstärkendes Pronomen 70, 253c
high/highly (Adv.) 50
~, Steigerung 52
Hilfsverb 80, 81-106
~ zur Bildung der Frage 77a
~ zur Bildung d. Verneinung 76
~ zur Hervorhebung 253b
him 65
~ bei Vergleich im Satz 43, 54
himself als Reflexivpronomen 68a
~ als verstärkendes Pronomen 70, 253c
his als adjektivisch gebrauchtes Possessivpronomen 44-45
~ als Bestimmungswort 2
~ als nominal gebrauchtes Possessivpronomen 67
how (Fragewort) 74
~ *long/many/much* 74
however (Konj.) 246

I
I 65a
if (Konj.) 221, 232-235
~ in indir. Fragesätzen 226b
if-Sätze 232-236
~ im *past perfect* 234
~ im *simple past* 233
~ im *simple present, present progressive, present perfect* 232a
~ mit dem *simple present* im Hauptsatz 232c
~ mit *should* 232b
~ mit *will/would* 235
  Wegfall von *if* und Inversion 236
Imperativ 111
~ im Hauptsatz eines *if*-Satz-Gefüges 232a, b, 236
~ in der indir. Rede 230b
  do zur Verstärkung eines ~ 111, 253b

in case (Konj.) 232
indirekte Rede 224-231
~, keine Verschiebung der Tempora 227, 228b, 229
~, Veränderung der Adverbialbestimmungen 231
~, Veränderung der Pron. 225
~, Verschiebung der Tempora 226, 228-230
~ /direkte Rede 224a
  Befehle in der ~ 230b
  Einladungen usw. in der ~ 230c
  modale Hilfsverben in der ~ 228-229
  Vorschläge in der ~ 230d
indirektes Objekt
~ als Subjekt des Passivsatzes 184b
~, Anschluß mit *to* bei bestimmten Verben 78c
~ der Personalpronomen 65a
~, Stellung im Satz 78
infinite Verbformen 188-223
Infinitiv 188b-200
~ des Passivs 187, 189c
~ mit *to* 189a-197
~ bei Verben des Sagens und Denkens im Passiv 185
~ nach Adjektiven 191
~ nach bestimmten Verben + Objekt 196
~ nach *for* + Nomen/Pronomen 195
~ nach Fragewörtern 193
~ nach Nomina 194
~ nach *somebody* usw. 194
~ nach Superlativen, Ordinalzahlen, *the only* 192
~ zur Wiedergabe von Befehlen usw. in der indir. Rede 230 b, c
  to anst. des ~ + Verb 197
~ ohne *to* 189a, 198-200
~ nach *have* + Objekt 199, S. 145
~ nach *let* + Objekt 200, S. 145
~ nach *let's* 200, S. 145
~ nach *make* + Objekt 199, S. 145
~ nach modalen Hilfsverben 198
~ /Gerundium nach bestimmten Verben 206
~ /Partizip Präsens nach Verben d. Sinneswahrnehmung 214
  Formen des ~ 189
  Funktionen des ~ 190
Infinitivfügung bei Vergleich im Satz 43d
Infinitiv Perfekt 189b
~ im Hauptsatz eines *if*-Satz-Gefüges 234
-ing form 113, 201
~ von *be, do, have* 81
→ Gerundium, Partizip Präsens
intransitives Verb 184a

Inversion 79, 130, 236, 253e
it 65
~ bei Vergleich im Satz 43, 54
~ + *is/was* + Nomen/Pronomen + Relativsatz zur Hervorhebung 253g
its 44-45
~ als nominal gebrauchtes Possessivpronomen 67
itself als Reflexivpronomen 68a
~ als verstärkendes Pronomen 70, 253c

J

just 55b, d
~ /*justly* (Adv.) 50

K

Kleidungsstücke + adj. gebrauchtes Possessivpron. 44b
Körperteile + adjektivisch gebrauchtes Possessivpron. 44b
Komposita 249
Konjunktionen 232, 243-246
   durch ~ eingeleitete Partizipialfügungen 220, 221
Konversion 252
Kurzformen 81a-c, 83a, 109

L

Langformen 81a-c, 83a
„lassen" im Englischen S. 145-146
last/(the) latest 42
late (Adj.), Steigerung 42a
~ /*lately* (Adv.) 50
lately (Adv.) 55b
latter 42
least (Superlativ) 42a, 53
less (Komparativ) 42a, 53
let + Objekt + Infinitiv 200, S. 145
let's + Infinitiv 200, S. 145
little (Adv.) 49
~ /*a little* (Adj.) 62
long (Adv.) 49
loudly, Steigerung 52
low (Adv.) 49

M

make + Objekt + Infinitiv 199, S. 145
male bei mask. Gattungsnamen 5
man, men 10a
~ bei mask. Gattungsnamen 11b
~ bei nominal gebrauchten Adjektiven 37b
many bei zählbaren Begriffen 62
~, Steigerung 42
Maßangaben mit unbestimmtem Artikel 33
~ mit dem Verb im Singular 16e
material nouns → Stoffnamen
may 83, 84, 87, 99.2, 105
~ in der indir. Rede 228a
may not 83, 87, 100.3, 105
Mengenangaben mit unbestimmtem Artikel 33
~ mit dem Verb im Singular 16e

Mengenbezeichnungen 59-64
~ als Bestimmungswort 2
mid-position 56-57
might(n't) 83, 88, 105
~ in der indir. Rede 228b
mine (Pron.) 67
modale Hilfsverben 80, 83-106
~ im Hauptsatz eines *if*-Satz-Gefüges 232-236
~ in der indir. Rede 228-229
~ zum Ausdruck von Sprechabsichten 96-106
„mögen, daß ..." im Engl. S. 148
Möglichkeit, modale Hilfsverben zum Ausdruck einer ~ 85-88, 105
~, ein künftiges Geschehen auszudrücken 160-175
~, etwas hervorzuheben 253
monthly, weekly, usw. 49, 55c
more (Komparativ) 42a, 53
~ zur Steigerung von Adj. 40, 43
~ zur Steigerung von Adv. 52, 54
most (Superlativ) 42a, 53
~ mit bestimmtem Artikel 30
~ ohne bestimmten Artikel 30
~ zur Steigerung von Adj. 40
~ zur Steigerung von Adv. 52
~ /*mostly* (Adv.) 50
much bei nicht-zählbaren Begriffen 62
~, Steigerung 42a, 53
very ~, Stellung im Satz 57d
„müssen" im Englischen S. 146
must 83, 84, 93, 97, 103, 104, S. 146
~ als Frageanhängsel 107c
~ in der indir. Rede 229a
~ /*have (got) to* 97.2
mustn't 83, 94, 100.2
~ als Frageanhängsel 107c
~ in der indir. Rede 229c
my 44-45
~ als Bestimmungswort 2
myself als Reflexivpronomen 68a
~ als verstärkendes Pronomen 70, 253c

N

Nachsilben 251
~ bei fem. Gattungsnamen 5
Namen von Wissenschaften auf -*ics* 16c
Nationalitätsbezeichnungen 11
near (Adj.), Steigerung 42a
~ /*nearly* (Adv.) 50
~ (Präp.) 248
nearest/next 42
nearly 55d
need als Frageanhängsel 107b
needn't 83, 95, 97
~ in der indir. Rede 229b
neither 64c
~ /*none* 64c
never 55c
~ + Inversion 79a, 253e
~, Stellung im Satz 57c

next (Adv.) 55b
~ /*nearest* (Adj.) 42
~ *to* (Präp.) 248
nicht-bestimmender (nicht-einschränkender) Relativsatz 237, 241-242
~ mit dem Relativpronomen als Objekt 241c
~ mit dem Relativpronomen als Subjekt 241b
~ mit Präpositionen 241d
~ mit *whose* 241e
   Übersicht über die Relativpronomen im ~ 242
nicht-reflexives Verb i. Engl., reflexives Verb i. Deutschen 68b
nicht-zählbare Begriffe 14b
~ mit *a little* 62
~ mit *a lot of, lots of* usw. 62
~ mit *any* 59a
~ mit *much* 62
~ mit *some* 59a
   bestimmte Nomina als ~ 16a
   Möglichkeiten, ~ zählbar zu machen 14c
no (Adj., Adv.) 63
~ + *own* 45
~ /*none* 63
   Zusammensetzungen mit ~ 61, 63
Nomen 1-21
~ als direktes Objekt bei festen Verb-Adverb-Verbindungen 177c
~ als Subjekt + Inversion 79b, 130
~ im s-Genitiv als Bestimmungswort 2
~ als Zeitangabe 21
~ vor dem Gerundium 209
~ nach dem Partizip Perfekt 216a
~ nach dem Partizip Präsens 212
~ nach *what, which* (Fragew.) 73
~ + Präposition vor dem Gerundium 204d
~ + verstärkendes Pronomen zur Hervorhebung 70, 253c
~ vor dem Gerundium 205b
~ vor dem Infinitiv 194, 195
~ vor dem Partizip Perfekt 217
~ vor dem Partizip Präsens 211
   als ~ gebrauchtes Adj. 37-38
   Arten der ~ 1
   Bildung von ~ mit Hilfe von Nachsilben 251a
   Geschlecht der ~ 3-6
   nur im Plural stehende ~ 16b
   nur im Sing. stehende ~ 16a
   Plural der ~ 7-13
   Übereinstimmung von ~, Verb und Bestimmungswort 16
   Wortbildung mit Hilfe von ~ 249a, b
   zusammengesetztes ~ 13, 249a
nominal gebrauchtes Possessivpronomen 67

nominale Fügung
~ im Passiv 184d
~ zur Wiedergabe von Einladungen usw. in der indir. Rede 230c
non-defining relative clause → nicht-bestimmender Relativsatz
none 63
~ */neither* 64c
~ */nobody* 63
not anstelle eines Gliedsatzes 247
not as bei Vergleich im Satz 43, 54
nothing vor d. Relativpronomen *that* 238b
Notwendigkeit, modale Hilfsverben z. Ausdruck e. ~ 93, 95, 97
noun phrase → nominale Fügung

O
Objektform
~ der Fragewörter *what, who* 72a
~ der Personalpronomen 65a
~ als Kurzantwort auf *who*-Frage 65b, 72b
~ vor dem Gerundium 208
Objektfrage mit *what, who/whom* 72a
Wortstellung bei ~ 77a
of-Fügung 17b
~ in Verbindung mit *own* 45
~ nach *all* 241d
~ nach *both* 64a, 241d
~ nach *neither* 64c
~ nach *which* 73
~ + nominal gebrauchtes Possessivpronomen 67b
old, Steigerung 42a
once (Adv.) 55c
~, Stellung im Satz 57c
~, (Konj.) 243
one als Stützwort 39
~ nach *which* (Fragewort) 73
~ für deutsches „man" 66
one another/each other 69
only (Adv.) 55d
~ *once* + Inversion 79a, 253e
Ordinalzahlen vor d. Infinitiv 192
ought to 83, 84, 92, 98.2, 104, 106
~ in der indir. Rede 228b
oughtn't to 83, 92, 98.2
~ in der indir. Rede 228b
our 44-45
ours 67
ourselves als Reflexivpron. 68a
~ als verstärkendes Pronomen 70, 253c
own + adjektivisch gebrauchtes Possessivpronomen 45

P
„Paarwörter" 15
Partizipialfügungen 219-223
~ mit eigenem Subjekt 222
~ durch Konjunktionen eingeleitete ~ 220, 221
~ durch *with* eingeleitete ~ 222a

~ nicht durch *with* eingeleitete ~ 222b
~ idiomatische Wendungen mit ~ 223
Partizip Perfekt 188b, 210, 216-218
~ anstelle kausaler Gliedsätze 219, 220b
~ anstelle temporaler Gliedsätze 220a
~ anstelle von Relativsätzen 216, 217
~ in Partizipialfügungen mit eigenem Subjekt 222
~ nach dem Nomen 217
~ von *be, do, have* 81
~ vor dem Nomen 216a
~ zur Bildung des Passivs 181, 187b
Bildung des ~ 114, 115
feste Fügungen aus ~ + Adverb + Nomen 216a, 249b
get + Objekt + ~ 218, S. 145
have + Objekt + ~ 218a, S. 145
Liste d. unregelm. ~-Formen S. 152-153
Wortbildung mit Hilfe des ~ 249b
zu Adjektiven gewordene ~ 216b
Partizip Präsens *(-ing form)* 188b, 201, 210-215
~ anstelle kausaler Gliedsätze 219, 220b
~ anstelle temporaler Gliedsätze 219, 220a
~ anstelle von Relativsätzen 211
~ in Partizipialfügungen mit eigenem Subjekt 222
~ nach bestimmten Verben 215
~ nach dem Nomen 211
~ nach Verben der Sinneswahrnehmung 213
~ von *be, do, have* 81
~ vor dem Nomen 212
~ /Infinitiv nach Verben der Sinneswahrnehmung 214
Bildung des ~ 113
feste Fügungen aus ~ + Adjektiv/Adverb + Nomen 212b, 249b
Wortbildung mit Hilfe des ~ 249b
zu Adj. gewordene ~ 212c
Passiv 179-187
~ der Verben des Sagens und Denkens 185, S. 147
~ der verschiedenen Arten von Verben 184
~, Formen 181
~, Funktion 179b, S. 146
~ mit *by* 183
~, *progressive form* 182
~, *simple form* 182
Gerundium des ~ 186, 202
Infinitiv des ~ 187, 189b
„persönliches" ~ 185
„unpersönliches" ~ 185

past perfect 152-153
~ bei einander folgenden Handlungen 153
~ im *if*-Satz 234
~ + Inversion 236
~, keine Verschiebung der Tempora in der indir. Rede 227c
~ */past perfect progressive* 155
~ */simple past* 153a
past perfect progressive 154-155
~, keine Verschiebung der Tempora in der indir. Rede 227c
~ */past perfect* 155
past progressive 148-151
~ bei ablaufender Handlung 149
~ bei Zeitraum 151
~ in beschreibenden Teilen von Erzählungen usw. 150
~, keine Verschiebung der Tempora in der indir. Rede 227d
~ */simple past* 149, 151
people 16d
~ bei nominal gebrauchten Adjektiven 37b
~ für deutsches „man" 66
„persönliches" Passiv 185
Personalpronomen 65-66
~ als direktes und indirektes Objekt 78b, 177c, 178
~ nach *somebody* usw. 61
~ + *for* vor dem Infinitiv 195
~ + verstärkendes Pronomen zur Hervorhebung 70, 253c
Objektform des ~ 65a
~ bei Vergleich im Satz 43b, 43c, 54b, 65b
~ in Kurzantwort 65b, 72b
~ vor dem Gerundium 208
Subjektform des ~ 65a
~ bei Vergleich i. Satz 43c, 54b
phrasal verbs → feste Verb-Adverb-Verbindungen
Plural der Nomina 7-13
~ aus anderen Sprachen 12
~, Aussprache 9
~ bei Namen von Wissenschaften auf *-ics* 16c
~ bei Sammelnamen 16d
~ bei Völkernamen 11
~, die ursprüngl. Adj. waren 37
~, regelmäßige Form 7
~, Schreibung 8
~, unregelmäßige Form 10
nur im Plural stehende Nomina 16b
Plural der nominal gebrauchten Adjektive 37a
Plural der Pronomen nach *somebody* usw. 61
Plural der zusammengesetzten Nomina 13
police 16d
Possessivpronomen, adjektivisch gebrauchtes 44-45
~ als Bestimmungswort 2
~ nach *both* 64a
~ nach *somebody* usw. 61

~ vor dem Gerundium 209
Veränderung des ~ in der indir. Rede 225
nominal gebrauchtes ~ 67
prädikativer Gebrauch des Adjektivs 36, 48f
präpositionale Verben 178
~ im Infinitivsatz 194
~ im Passiv 184c
~ /feste Verb-Adverb-Verbindungen 178
Präpositionen 248
~, Stellung im bestimmenden Relativsatz 238d, 239-240
~, Stellung im Fragesatz 72, 77
~, Stellung im Infinitivsatz 194
~, Stellung im nicht-bestimmenden Relativsatz 241d, 242
~, Stellung im Passivsatz 184c, d
present perfect 137-141
~ bei Gesprächseröffnung 141
~ bei noch andauerndem Zeitraum 139
~ bei vor dem Zeitpunkt des Sprechens liegender Handlung 138, 139, 141
~ bei Vorliegen eines Ergebnisses 138
~ im *if*-Satz 232a
~ im temporalen Gliedsatz 159
~, keine Verschiebung der Tempora in der indir. Rede 227a
~ /present perfect progressive 143, 144, 158
~ /simple past 139, 141, 157, 158
Bildung des ~ 137
present perfect progressive 142-144
~ bei noch andauerndem Geschehen 143
~ bei unbeabsichtigten Folgen in der Gegenwart 144
~ mit *since* (Präp.) 159.1
~ /present perfect 143, 144, 158
~ /simple past 158
Bildung des ~ 142
present progressive 131-136
~ bei *go* und *come* zum Ausdruck einer Absicht 162
~ bei noch im Verlauf befindlicher Handlung 132
~ bei persönlich vereinbarter künftiger Handlung 135, 160
~ bei unterbrochener Handlung 133
~ bei wiederholter Handlung 134, 136
~ im *if*-Satz 232a
~ + *always* z. Hervorhebung 136
~ /simple present 116, 117, 119
Bildung des ~ 131
pretty (Adv.) 50
~ /prettily 50
~, Stellung im Satz 57d
progressive form des Vollverbs 116, 117, 119
~ des Infinitivs 189b
~ im Passiv 182

Pronomen
~ zum Ausdruck wechselseitiger Beziehungen 69
adjektivisch gebrauchtes Possessivpronomen 44-45
Demonstrativpronomen 71
nominal gebrauchtes Possessivpronomen 67
Personalpronomen 65-66
Possessivpronomen 44-45, 67
Reflexivpronomen 68
Relativpronomen 237-242
proper nouns → Eigennamen

Q
quantifiers → Mengenbezeichnungen
question tag → Frageanhängsel
quickly, Steigerung 52
quite 55d
~, Stellung im Satz 57d
~ vor unbest. Artikel 34a

R
rather 55d
~ vor unbest. Artikel 34a
Ratschlag
~ in der indir. Rede 230c
modale Hilfsverben zum Ausdruck e. ~ 92, 93, 104, S. 148
Redewendungen
~ mit dem Gerundium 205a
~ mit *have* + Nomen 176c
~ mit unbestimmtem Artikel 35
durch Partizipialfügungen eingeleitete ~ 223
reflexives Verb im Deutschen, nicht-reflexives Verb im Englischen 68b
Reflexivpronomen 68
regelmäßiger Plural der Nomina 7
regelmäßiges Verb 114, 115
Relativpronomen 237-242
~ als Objekt eines Relativsatzes 238c, 239, 241c
~ als Subjekt eines Relativsatzes 238b, 241b
~ mit Präposition im Relativsatz 238d, 239, 241d
Übersicht über die ~ im Relativsatz 240, 242
Relativsätze 237-242
~ nach *it's/it was* + Nomen/Pronomen zur Hervorhebung 253g
~ ohne Relativpron. 237, 239
Infinitiv anst. eines ~ 192, 194
Partizip Perfekt anstelle eines ~ 216, 217
Partizip Präsens anstelle eines ~ 211

S
Sammelnamen 1c
Adjektive als ~ 37a
Plural bei ~ 16d
Singular bei ~ 16d

Schlußfolgerung, modale Hilfsverben zum Ausdruck einer ~ 93, S. 146
s-Genitiv
~ als Bestimmungswort 2
~ bei Städten, Staaten, Institutionen 17c
~ bei regelm. Pl. d. Nomens 18
~ bei unregelm. Pl. d. Nomens 18
~ bei Zeitangaben 21
~, Singular 18
~ vor dem Gerundium 209
~, Wegfall des Bezugsworts 19-20
shall 83, 91, 98.3, 103, S. 147
~ in der indir. Rede 228a
shan't 83
she 65a
should 83, 92, 98.2, 104, 106, S. 148
~ im *if*-Satz 232b
~ + Inversion 236
~ in der indir. Rede 228b, 230d
shouldn't 83, 92, 98.2, 104
~ in der indir. Rede 228b
simple form des Vollverbs 116-119
~ im Passiv 182
simple past 145-147
~ bei abgeschlossenem Zeitraum 146
~ bei bestimmtem Zeitpunkt 146
~ im *if*-Satz 233
~ im temporalen Gliedsatz 153b, 159.2
~ in Erzählung und Bericht 147
~, keine Verschiebung der Tempora in der indir. Rede 227d
~ /past perfect 153a
~ /past progressive 151
~ /present perfect 141, 157, 158
Bildung des ~ 114, 115, 145
Liste d. unregelm. ~-Formen S. 152-153
simple present 120, 121-130
~ bei Adv. an der Satzspitze 130
~ bei Anweisung usw. 127
~ bei beruflicher Tätigkeit usw. 123
~ bei Dauerzustand 124
~ bei festgelegtem künftigem Geschehen 128, 160
~ bei Gespräch über Texte usw. 125
~ bei gewohnheitsmäßiger Handlung 122
~ bei künftigem Geschehen im temporalen Gliedsatz 129
~ bei Verben des „Sagens" 126
~, 3. Person Singular 112, 121
~ im *if*-Satz 232a
~ im *if*-Satz und Hauptsatz 232c
~, keine Verschiebung der Tempora in der indir. Rede 227a
~ /present progressive 116, 117, 119
Bildung des ~ 121
since (Konj.) 243, 245
~ im temporalen Gliedsatz 157, 159.2

~ + *present perfect* im Hauptsatz 139, 140
~ + *present perfect progressive* im Hauptsatz 143
since (Präp.) 248
~ + *present perfect* 159.1
~ + *present perfect progressive* 159.1
~ + *simple past* 159.2
~ /*for* 159
Singular
~ bei Maß- und Mengenangaben 16e
~ bei Namen von Wissenschaften auf *-ics* 16c
~ bei nominal gebrauchten Adjektiven 38
~ bei Sammelnamen 16d
~, Bildung des s-Genitivs 18
Nomina, die nur im ~ stehen 16a
Verb im ~ nach *somebody* usw. 61
slowly, Steigerung 52
so anstelle eines Gliedsatzes 247
„sollen" im Englischen S. 147-148
some (Adj., Pron.) 59
~ im Aussagesatz 59a
~ im Fragesatz 59b
~, Steigerung 42a
Zusammensetzungen mit ~ 59c, 61
~ vor dem Infinitiv 194
~ vor dem Relativpronomen *that* 238b
sometimes 47, 55c
~, Stellung im Satz 57c
soon 55b
~, Steigerung 52
Sprechabsichten
~ in der indir. Rede 230a
durch modale Hilfsverben ausgedrückte ~ 96-106
Steigerung → Adjektiv, Adverb, Vergleich im Satz
Stellung der Adverbien und Adverbialbestimmungen im Satz 56-57
Stoffnamen 1d
~ mit bestimmtem Artikel 24b
~ ohne bestimmten Artikel 24b
straight (Adv.) 49
Stützwort *one* 39
Subjektform
~ der Fragewörter *what, who* 72a
~ der Personalpronomen 65a
Subjektfrage mit *what, who* 72a
Wortstellung in der ~ 77b
such vor d. unbest. Artikel 34a
Superlativ vor dem Infinitiv 192

T
Tätigkeits-/Vorgangsverb 117
~ mit Adverb 51b
do als ~ 176b
have (+ Nomen) als ~ 176c
tense → Zeit und Tempus

than bei Vergleich i. Satz 43, 54
~ mit Objektform d. Personalpronomens 65b
that als Demonstrativpron. 71
~ als Relativpronomen 237-240
~ beim Stützwort *one* 39
the 22-30
~ als Bestimmungswort 2
~ zur Hervorhebung 253a
their 44-45
theirs 67
them 65
~ bei Vergleich im Satz 43, 54
themselves als Reflexivpron. 68a
~ als verstärkendes Pronomen 70, 253c
~ /*each other* 69
the only vor dem Infinitiv 192
there (Adv.) 55b, 79b, 130
~ + *be* 176a
these 71
~ nach *both* 64a
~ ohne Stützwort *one* 39
they 65a
~ für deutsches „man" 66
thing bei nominal gebrauchten Adjektiven 38
this 71
~ als Bestimmungswort 2, 16e
~ beim Stützwort *one* 39
those 71
~ als Bestimmungswort 2
~ ohne Stützwort *one* 39
though (Konj.) 221, 246
till (Konj.) 221, 243
~ (Präp.) 248
to als Teil des Infinitivs 188b, 189-197
~ anstelle von *to* + Verb 197
~ (Präp.) 248
today 55b
~ als attributive Zeitangabe 21
~ in der indir. Rede 231
tomorrow 55b
~ als attributive Zeitangabe 21
~ in der indir. Rede 231
tonight 55b
~ als attributive Zeitangabe 21
transitives Verb 184a
twice 55c
~, Stellung im Satz 57f
~ vor bestimmtem Artikel 29
typisches Verhalten, modale Hilfsverben zum Ausdruck eines ~ 89, 90

U
Übereinstimmung von Nomen, Verb und Bestimmungswort im Numerus 16
~ bei Maß- und Mengenangaben 16e
~ bei Sammelnamen 16d
~ bei *somebody* usw. 61
unbestimmter Artikel 31-35
~ bei nachgestellten Zeit-, Maß- und Mengenangaben 33

~ in der Bedeutung *one* 31
~ nach *half, quite, rather* usw. 34
~ + nominal gebrauchtes Possessivpronomen 67b
~, Schreibung vor Vokalen und Konsonanten 22
~ zur Bezeichnung der Zugehörigkeit zu e. Beruf usw. 32
Redewendungen mit d. ~ 35
uncountables → nicht-zählbare Begriffe
Unfähigkeit, modale Hilfsverben z. Ausdruck einer ~ 85, 86, 96
unless (Konj.) 221, 232
Unmöglichkeit, modale Hilfsverben z. Ausdruck einer ~ 85, 86
„unpersönliches" Passiv 185
unregelmäßiger Plural der Nomina 10-13
~, Bildung des s-Genitivs 18
unregelmäßige Verben 114
Liste der ~ S. 152-153
until (Konj.) 221, 243
~ (Präp.) 248
us 65
~ bei Vergleich im Satz 43, 54
used to + Infinitiv 156
~ in der indir. Rede 228b
~ /*used to* + Gerundium 156, 204b

V
Verb 80-223
~, Besonderheiten bei der Schreibung und Aussprache 112, 113, 115
~, das das Ergebnis e. geistigen Tätigkeit ausdrückt 118b
~ im Passiv 185
~ + Infinitiv 196c
~, das eine gefühlsmäßige Einstellung ausdrückt 118c
~ + Infinitiv 196a
~ der Sinneswahrnehmung 119
~ + Objekt + Part. Präsens 213
Infinitiv/Partizip Präsens nach ~ 214
~ des „Sagens" 126
~ im Passiv 185
~ + Infinitiv 196c
~ im Englischen, Adverb im Deutschen 58, 191b
~ im Singular nach *somebody* usw. 61
~ mit Adjektiv oder Adverb 51
~ + Gerundium 205c
~ + Präp. + Gerundium 204c
Bildung von ~ mit Hilfe von Nachsilben 251c
Gerundium/Infinitiv nach bestimmten ~ 206
nicht-reflexives ~ i. Engl., reflexives ~ i. Deutschen 68b
Partizip Präsens nach bestimmten ~ 215
Passiv der verschiedenen Arten von ~ 184-185